Guide des NŒUDS

Guide des NŒUDS

surliures • boucles • nœuds d'ajut • nœuds à raccourcir • nœuds d'attache

Geoffrey Budworth

Création, conception, production : Stonecastle Graphics Ltd
Maquette : Paul Turner et Sue Pressley
Rédaction : Philip de Ste Croix
Schémas des nœuds : Malcolm Porter
Photographies : Roddy Paine

Copyright © 2006 pour l'édition française
Parragon Books Ltd

Réalisation : InTexte, Toulouse
Adaptation française : Marie-Line Hillairet,
avec le concours d'Isabel Blot
et la collaboration de « Alcosinus »
(Alain Legeay, membre IGKT-France)

ISBN : 1-40546-789-4

Imprimé en Chine
Printed in China

Photographies des pages 10, 46-47, 50, 56, 64,
72-73 © Stonecastle Graphics Ltd
Photographies des pages 98-99 © Mike Dobson

Avertissement

Ce livre se veut une simple introduction
à la confection de nœuds. N'utilisez aucun
de ces nœuds présentés pour des activités jugées
dangereuses sans avoir pris conseil auprès de personnes
compétentes et reçu de celles-ci un enseignement
et un matériel appropriés.

Ne faites jamais de nœuds ou de boucles autour
du cou de quelqu'un et assurez-vous que cordes
et ficelles sont rangées hors de portée des enfants.

En exécutant un nœud de pêcheur ou en le serrant,
on risque toujours de se piquer le doigt avec la pointe
de l'hameçon. Pour éviter ce type d'incident, coiffez
celle-ci d'un bout de pâte à modeler, de gomme
ou de bouchon avant de vous mettre à l'œuvre.

Sommaire

Introduction

Il n'existe aucun autre secteur d'activité où sont enseignées des techniques datant de plusieurs milliers d'années… Dans tous les autres domaines, elles ont évolué au fil des siècles, parfois de façon radicale, mais dans celui des nœuds, elles sont identiques à celles employées par nos lointains ancêtres.

(Richard Hopkins, *Knots*, 2003)

Tout le monde devrait savoir faire un nœud ou deux… ou dix. Si vous ne savez pas faire les nœuds, c'est simplement parce que vous n'avez jamais appris. Ce livre est l'opportunité rêvée pour combler cette lacune, la pratique des nœuds étant devenue une activité appréciée de nombreux adeptes des deux sexes et de tous les âges.

Personne ne devrait totalement se fier aux clips, colliers, boucles et autres gadgets de fabrication industrielle quand un lacet ou une corde peuvent remplir la même fonction – et souvent mieux. Ainsi, les amateurs de nœuds se déplacent-ils rarement sans quelques bouts de cordelette au fond de leurs poches.

Apprenez quelques-uns des nœuds décrits dans ce livre, utilisez-les souvent et vous deviendrez une autre personne. Aficionado des nœuds, vous ne serez jamais pris au dépourvu quand vous aurez besoin de poser un tourniquet en urgence lors d'une opération de secourisme, d'attacher un câble de remorquage sur un véhicule en panne ou de lancer un cerf-volant au bout d'une corde. Les astronautes et les zoologistes (et tous les autres métiers compris entre les première et dernière lettres de l'alphabet) doivent connaître les cordages et les différentes manières de les nouer.

Quoi qu'il en soit, tous détails pratiques mis à part, les nœuds constituent un agréable passe-temps, aussi absorbant qu'un puzzle ou qu'une grille de mots croisés. C'est également une activité créative car les faiseurs de nœuds patentés utilisent leur expertise pour réaliser des objets d'art et des bijoux à partir de simples bouts de ficelle.

Comme les tâches requérant de la dextérité manuelle sollicitent un nombre étonnant de connexions neurologiques, les nœuds peuvent aussi avoir une fonction thérapeutique. La convalescence de nombreuses victimes d'accidents vasculaires cérébraux, par exemple, s'est accélérée grâce à la pratique régulière des nœuds.

Cette activité est la fois un art, un savoir-faire et une science (autant de volets que ce livre d'initiation n'a pas vocation de traiter, faute de place) qui restent encore à moitié inexplorés. La théorie des nœuds est une subdivision de la topologie (géométrie multidimensionnelle). En 1990, le professeur néo-zélandais Vaughan Jones a reçu une Fields Medal – un équivalent du prix Nobel pour les mathématiciens – couronnant ses recherches fructueuses dans ce domaine abstrus et ésotérique, où le polynôme de Jones s'avère un outil de grande utilité.

Brève histoire des nœuds

De l'âge de pierre à l'ère spatiale, les nœuds ont permis à l'humanité de survivre, de s'épanouir et de se développer. Aujourd'hui, tandis que de nouveaux outils, techniques et théories sont mis au point ou découverts, les nœuds suscitent un prodigieux regain d'intérêt. Parmi les quelque 500 livres recensés sur le sujet, au moins un quart ont été publiés ces vingt dernières années. Toutefois, les premiers livres à présenter des nœuds furent des manuels de matelotage des XVIIIe et XIXe siècles.

Page ci-contre : *les vaqueros sud-américains et les cow-boys du Nouveau Monde apprenaient à faire des nœuds d'une seule main tandis qu'ils montaient à cheval.*

Ci-dessous : *les nœuds et les épissures – leur réalisation et leur entretien – occupaient les marins aussi bien pendant les voyages de routine que lors des terribles batailles navales.*

Les nœuds sont antérieurs au feu, à l'agriculture, à la roue, à l'énergie éolienne et peut-être même à la parole. Les habitants des grottes et les chasseurs-cueilleurs faisaient déjà des nœuds.

Si l'on remonte au paléolithique, on trouve des preuves fragmentaires des premiers hommes réalisant des nœuds à l'aide de racines fibreuses, de pinces en cuir et de cordes en boyau, en

herbe ou en cheveux torsadés pour tirer et hisser des charges, confectionner des vêtements et des abris, piéger du gibier, pêcher du poisson pour se nourrir, immobiliser des membres blessés, attraper et attacher les ennemis, et étrangler des hommes voués au sacrifice.

Les bâtisseurs des mégalithes préhistoriques, des forteresses médiévales et des magnifiques cathédrales ont tous eu besoin de cordes, de même que les ingénieurs en génie civil responsables de projets architecturaux tels que le Tower Bridge à Londres et le Hoover Dam sur le Colorado, aux États-Unis, entre l'Arizona et le Nevada. Les cordes ont aussi permis aux personnes aventureuses

d'escalader des montagnes, de franchir des gouffres et de descendre dans des grottes et des gorges. Sur les champs de bataille, l'issue de certains affrontements et conquêtes dépendait en partie des nœuds qui fixaient les cordes aux arcs.

À la glorieuse époque de la navigation à voile (et des cordages), les nœuds, souvent sophistiqués mais toujours fonctionnels, se perfectionnèrent pour fixer le gréement en chanvre des bateaux à voiles. Fait moins connu, les cow-boys et les vaqueros sud-américains réalisaient des nœuds encore plus compliqués sur leurs harnais en cuir et tressaient des chaînes de montre et des gages d'amour en crin de cheval.

Les cordages : terminologie et matériel

Le terme générique servant à désigner tout type de matériau filé et toronné ou tressé est **cordage**. Tout cordage dépassant 10 mm de diamètre est une **corde** tandis qu'un cordage à usage spécifique devient une ligne (ligne de pêche, corde à linge, etc.). Un matériau plus fin est dénommé **cordelette**, **ficelle** ou **fil**.

Cordages en fibres synthétiques

Aujourd'hui, la plupart des cordages sont synthétiques – fabriqués dans un matériau créé par des chimistes. Les matériaux les plus commercialisés sont les quatre P :

- **polyamide** (généralement appelé nylon) ;
- **polyester** (térylène et dacron) ;
- **polyéthylène** (polythène) ;
- **polypropylène**.

Tous sont solides et imputrescibles. Le nylon perd toutefois plus de 15 % de sa résistance une fois mouillé mais la récupère une fois sec. Le polyester est moins résistant que le nylon, mais conserve sa solidité, mouillé ou sec. Le polypropylène – sauf traitement spécial – supporte mal les ultraviolets et se détériore s'il est trop longtemps exposé aux rayons du soleil.

Le nylon s'étire et absorbe l'énergie générée par une charge importante et soudaine, réduisant ainsi le risque de rupture. Ce matériau convient donc bien aux câbles de remorquage, à certaines cordes d'escalade, aux amarres et aux lignes

Ci-dessous : haubans, drisses, écoutes et autres cordages foisonnent dans les ports de plaisance.

de pêche qui doivent supporter des tensions et des charges. Lorsque ces contraintes cessent, la corde en nylon reprend sa longueur initiale.

Le polyester, quant à lui, présente une faible élasticité, qu'il est possible de supprimer en lui faisant subir un traitement de pré-étirage lors de la fabrication. Choisissez une corde en polyester quand l'élasticité n'est pas requise, pour les haubans, les étais et le gréement fixe qui supporte les mâts et les structures verticales, ainsi que pour les drisses et les écoutes.

Le polypropylène est moins résistant que le nylon et le polyester mais il est moins cher et il flotte. Sa flottabilité en fait un matériau idéal pour les lignes de sauvetage fixées aux bouées à lancer et les mains courantes des parapets qui entourent les points d'eau des espaces publics.

Ci-dessus : les nœuds d'assurance doivent être solides, faciles à apprendre et rapides à réaliser.

Ci-dessous : les nœuds sont un élément de l'attirail de pêche que les pêcheurs confectionnent eux-mêmes.

D'autres fibres « haute technologie » sont, à poids égal, plus résistantes que des câbles en acier ou que la matière avec laquelle l'araignée tisse sa toile :
• le Kevlar®, le Twaron® et le Technora®, qui sont des dérivés de l'aramide ;
• le Spectra® ou le Dyneema® ;
• le Vectran® ;
• le Zylon®.

Les remarquables performances de ces nouveaux venus sur la scène des cordages ont un coût au mètre proportionnellement époustouflant. Ces matériaux présentent néanmoins quelques inconvénients – faible résistance à l'abrasion, faible flexibilité et vulnérabilité aux ultraviolets – mais les fabricants résolvent ces problèmes en enveloppant ces matières dans une gaine en polyester.

ATTENTION

Les cordages synthétiques, quel que soit leur type, fondent et se rompent s'ils sont soumis à une température supérieure à leur point de fusion :
250 °C pour le nylon
245 °C pour le térylène ou le dacron
150 °C pour le polypropylène
128 °C pour le polyéthylène
165 °C pour le Dyneema® ou le Spectra®
500 °C pour le Vectran®
Toutefois, soyez vigilants – ils se lustrent, fondent et s'affaiblissent à de plus basses températures. Éloignez-les des feux et évitez les frictions génératrices de chaleur.

Ci-dessous : toronnés, tressés ou à âme revêtue d'une gaine, mats ou brillants, les cordages synthétiques sont d'une extraordinaire variété, fruit d'une recherche et d'un développement high-tech ainsi que d'un processus de fabrication d'une remarquable modernité.

Cordages en fibres naturelles

Ils sont fabriqués avec des matériaux organiques d'origine végétale ou animale, comme l'étaient les cordages jusqu'à il y a une soixantaine d'année. S'ils sont toujours répandus dans de nombreuses régions du monde, ils le sont toutefois moins dans les pays industrialisés. Ce sont des matériaux qui introduisent fantaisie et variété dans les nœuds, pensez donc à les utiliser. Les matières premières de ce type de cordage sont issues :

• des tiges fibreuses de plantes (lin, chanvre et jute) ;
• des feuilles fibreuses de plantes (manille et sisal) ;
• des fibres rattachées aux graines et aux enveloppes (coton, coco, etc.).

Parmi les matériaux d'origine végétale, on trouve aussi le palmier dattier, l'écorce, le roseau et l'alfa. Les matériaux d'origine animale incluent le boyau, le crin, la soie et la laine.

Ci-dessus : blancs, marron ou encore plus foncés, les cordages en fibres naturelles, doux et flexibles, ou durs et rêches, sont évocateurs d'une époque aujourd'hui révolue.

Les cordages en fibres naturelles doivent être séchés puis suspendus dans un espace ventilé car, à la différence des cordages synthétiques, ils ne sont pas imputrescibles, le sisal excepté.

Le **chanvre** est l'une des fibres naturelles les plus résistantes mais la **manille** pourrit moins quand elle est mouillée. Le **sisal** est un substitut bon marché des deux. Le **coco** est extensible et supporte l'immersion dans l'eau salée ; c'est pourquoi (bien qu'il soit moins résistant que la manille) il sert à fabriquer des lance-amarres et figure sur certains bateaux traditionnels et autres petites embarcations sous la forme de défenses.

Construction d'un cordage

Selon la tension transmise par les machines, un cordage peut être toronné lâche (excellent pour l'apprentissage des nœuds) ou serré (moins facile à nouer).

Traditionnellement, une corde (*voir* ci-contre), en fibres naturelles ou synthétiques, se compose de trois **torons** qui sont torsadés dans le sens des aiguilles d'une montre (**commis en Z** ou **torsadés à main droite**). Observez de près chaque toron et vous verrez qu'il est constitué d'un faisceau de **fils de caret** torsadés dans le sens inverse des aiguilles d'une montre (**commis en S** ou **torsadés à main gauche**) ; ces fils sont eux-mêmes faits avec des **fibres** torsadées à main droite. La torsion de ces différents éléments dans des sens opposés crée la cohésion, la géométrie et la performance de la corde. Le terme nautique quelque peu ancien qui désigne la construction d'une telle corde est « **commis en aussière** ».

Trois aussières commises à droite peuvent l'être ensemble pour former un câble à neuf torons commis à gauche.

Peu de fibres naturelles sont tressées. Le cordage synthétique, par contraste, consiste le plus souvent en un noyau, ou âme, protégé par une gaine tressée. À la différence des fibres courtes et irrégulières d'origine végétale ou animale qui constituent les cordages naturels, les éléments de base d'un cordage synthétique sont :

• **monofilaments** de diamètre supérieur à 50 microns ;
• **multifilaments** de diamètre inférieur à 50 microns.

Ces deux composants sont continus et uniformément ronds en coupe transversale. C'est pourquoi les cordes synthétiques sont lisses et brillantes, à la différence des cordes naturelles, qui sont rêches et dont l'extrémité des fibres

Fils de caret

Fibres

Torons

Aussière commise
à droite ou en Z

Aussière commise
à gauche ou en S

Câble

ressort en surface. Avec les cordes modernes, les nœuds sont parfois problématiques à réaliser à cause du manque d'adhérence du matériau. Beaucoup de cordes synthétiques sont ébouriffées lors du processus de fabrication afin d'obtenir une finition mate au toucher pelucheux. Une autre manière d'obtenir l'aspect pelucheux propre aux cordages en fibres naturelles consiste à couper les filaments synthétiques extrudés en morceaux, en imitant les fibres des végétaux fibreux ; on parle alors de **cordage à fibres discontinues**.

Une autre corde synthétique assez bon marché et agréable à utiliser est fabriquée en film de polypropylène déchiqueté, peigné puis tordu en cordes en **film fibrillé**.

L'enveloppe externe, ou gaine, d'un cordage tressé peut être composée de 8, 16 ou 32 faisceaux de monofilaments parallèles ou de multifilaments tressés ensemble. L'âme elle-même peut être commise en trois torons, ou bien tressée, ou se composer d'un faisceau de fils parallèles. De telles cordes (*voir* F, G, H et J ci-dessous) sont soit des cordes à gaine et âme, soit des tresses. Un cordage qui n'a pas d'âme est une tresse creuse.

Pour obtenir une plus grande souplesse, on peut tresser des câbles à huit torons ou à 12 torons.

Ci-dessus : *sélection de cordages synthétiques montrant la construction de chaque type.*

A) *polyester pré-étiré de 6 mm de diamètre, à 3 torons*

B) *nylon de 10 mm de diamètre, à 3 torons*

C) *polyester de 12 mm de diamètre, à 3 torons*

D) *polypropylène de 12 mm de diamètre, à 3 torons*

E) *polyester « hempline » de 14 mm de diamètre, à 3 torons*

F) *âme en Dyneema® et gaine en polyester de 5 mm de diamètre*

G) *gaine et âme en polyester de 8 mm de diamètre*

H) *tresse sur tresse en polyester de 12 mm de diamètre*

I) *tresse à huit torons en nylon de 12 mm de diamètre*

J) *tresse sous tresse en polyester de 16 mm de diamètre*

Entretien du cordage

Pour éviter de risquer votre vie, ou de perdre un objet qui vous est cher, vérifiez souvent l'état de vos cordes ; assurez-vous qu'elles ne sont pas abîmées, défectueuses ou usées et rangez-les correctement dans un local approprié. Rappelez-vous que les cordages sont chers ; il est donc important d'en prendre soin.

Voici quelques règles élémentaires qui vous permettront de vérifier que votre cordage est toujours en excellent état :
- Protégez-le de toutes les agressions.
- Réduisez les risques d'abrasion et de friction.
- Protégez-le de l'huile, de la graisse, de la saleté, de la poussière et des substances chimiques.
- Évitez de l'exposer à la chaleur ou au froid extrêmes.
- Limitez son exposition au soleil direct.
- Lavez-le et rincez-le régulièrement.
- Séchez complètement les cordages en fibres naturelles.
- Inspectez les cordages destinés à supporter du poids afin de détecter toute trace d'usure – fibres coupées ou effilochées, gaine plissée ou rompue, fibres fondues suite aux frictions.
- Vérifiez l'état des cordes à âme et gaine et des cordes tressées dont les enveloppes externes intactes dissimulent parfois des détériorations intérieures importantes. Réservez celles qui ont subi de fortes tensions à un usage moins contraignant (comme l'apprentissage des nœuds).

Lover un cordage

Les ficelles de petit diamètre peuvent être pliées en écheveaux avant d'être remisées mais les cordes de plus gros diamètre doivent être lovées en spirale : celles commises en Z seront lovées dans le sens des aiguilles d'une montre (*voir* schémas ci-contre) en ajoutant à la fin de chaque tour une petite torsion qui empêchera la spirale de se tordre et de s'emmêler.

La torsion supplémentaire introduite à l'enroulement réapparaîtra au moment du déroulement – mais si la corde est lovée correctement, elle sera minime. Les cordes commises en Z ou en S mal lovées ont tendance à s'entortiller.

Une corde commise en Z lovée dans le sens des aiguilles d'une montre se déroule plus aisément...

Ci-contre : *la torsion introduite à l'enroulement peut réapparaître au moment du déroulement de la corde – si celle-ci a été mal lovée, elle s'entortillera.*

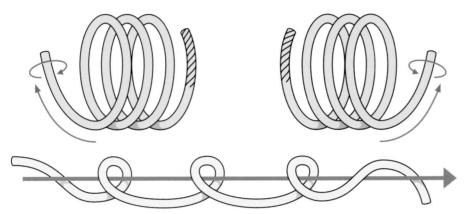

... que celle lovée dans le sens inverse, qui risque de s'entortiller.

Ci-dessous : *trois traitements d'urgence pour arrêter les extrémités coupées des cordes (de gauche à droite) : surliure, ruban adhésif et thermosoudage.*

Thermosouder, arrêter un cordage avec du ruban adhésif, un nœud ou une surliure

Les cordes s'effilochent une fois coupées. De ce point de vue, les cordes synthétiques, qui n'ont pas la cohésion des cordes en fibres naturelles, sont bien plus fragiles. Faites un nœud constricteur ou un nœud de boa (*voir* pages 22-25) près de l'endroit où la corde doit être coupée, enroulez un morceau de ruban adhésif sur les extrémités ou surliez-les (*voir* page 26).

On peut couper et arrêter le cordage synthétique en simultané – et s'affranchir ainsi du ruban adhésif, des nœuds ou des surliures – en utilisant la chaleur. Il suffit d'appliquer la flamme d'une allumette ou d'un briquet sur une cordelette, ou une ficelle, afin de la brûler. On coupera les cordes plus épaisses avec une lame de couteau chauffée. Les détaillants, les professionnels et les amateurs passionnés utilisent une guillotine électrique spécialement réservée à cet usage qui peut être fixée sur un établi ou tenue à la main.

Terminologie des nœuds

Nœud de boa, nœud de jambe de chien, nœud de diamant – s'agit-il de figures de patinage artistique exécutées lors d'une compétition olympique ou des derniers virus informatiques ? En réalité, ce sont des noms de nœuds. La confection des nœuds est un art qui possède son propre jargon, hautement spécialisé.

Il existe des milliers de nœuds différents et certains présentent d'innombrables variantes. Ils se classent dans une de ces trois catégories :

- Les nœuds permettant d'assembler les extrémités de deux cordes destinées à être détachées ultérieurement – ces nœuds sont appelés **nœuds d'ajut**.
- Les nœuds permettant d'attacher l'extrémité d'une corde à un bastingage, une main courante, un anneau, un espar ou un pieu – ces nœuds sont appelés **nœuds d'attache**.
- Les nœuds n'appartenant pas aux catégories précédentes. Ils incluent les **boucles non coulissantes**, les **nœuds coulants réglables** ou **autobloquants**, les **surliures**, les **nœuds à raccourcir** et les **nœuds d'arrêt**.

Il n'est pas nécessaire de connaître le nom de chaque nœud pour les apprendre et les utiliser, mais savoir leur nom s'avère utile quand vous discutez avec d'autres faiseurs de nœuds, et indispensable quand vous lisez et écrivez sur le sujet.

Toutefois, la terminologie des nœuds peut quelquefois autant aider que gêner.

Un nom de nœud suggère :
- son usage (nœud de cordon de couteau) ;
- son utilisateur (nœud de chirurgien).

Un nom indique également, à tort ou à raison :
- sa forme (bonnet turc) ;
- son inventeur (nœud de Tarbuck, nœud d'arrêt d'Ashley).

Certains nœuds portent des noms évocateurs tandis que d'autres, avec le temps, ont acquis plusieurs dénominations.

Petit lexique

Boucle de tirage : ganse tirée dans le courant et passée dans le nœud pour pouvoir le défaire plus facilement.

Demi-nœud : boucle dans laquelle on a fait passer le courant.

Demi-nœud gansé : boucle dans laquelle on a fait passer une boucle de tirage.

Tour mort : tour et demi réalisé autour d'un axe avec la corde, le courant et le dormant se trouvant dans la même direction.

Demi-clef : tour réalisé autour d'un axe avec la corde, le courant passant sur le dormant dans le sens opposé.

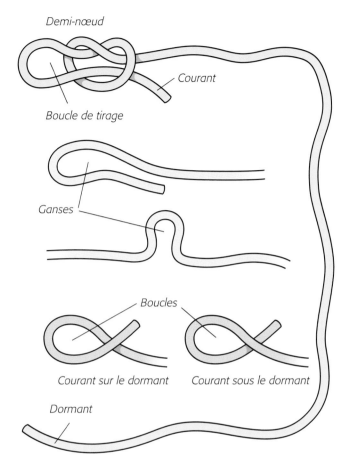

Demi-nœud

Courant

Boucle de tirage

Ganses

Boucles

Courant sur le dormant   Courant sous le dormant

Dormant

Les termes de nouage (*voir* schéma ci-dessus)
Choisissez un bout de corde et entraînez-vous
à faire des nœuds. La partie du cordage utilisée
pour nouer votre nœud s'appelle le **courant**,
et l'autre, celle qui est inutilisée, le **dormant**.

Faites un U avec la corde pour réaliser une
ganse. Imprimez une demi-torsion à cette ganse
et vous obtiendrez une **boucle**. Le courant peut
passer **sur** ou **sous** le dormant de la boucle.

Un nœud serré à la va-vite ou sans précaution
sera un nœud fragile et peu fiable. Le serrage,
aussi important que le nouage, doit s'effectuer
avec attention. Quelques nœuds seulement

(par exemple les nœuds des lacets de chaussures)
se serrent simplement en tirant dessus. La plupart
des nœuds nécessitent d'être **arrangés**, c'est-à-dire
manipulés de sorte qu'ils aient la forme désirée
avant le serrage. On peut ensuite commencer
le serrage en tirant délicatement sur chaque
extrémité du filin, ou brin, pour éliminer le mou
et aplatir le nœud. Puis, quand chaque tour est bien
rangé, on termine le serrage en tirant sur chaque
brin ou chaque toron.

Acheter du cordage
Pour apprendre à faire les nœuds présentés
dans ce livre, vous avez seulement besoin de
deux morceaux de corde tressée de 2 mètres de
long et de 5 à 10 mm de diamètre. Elles doivent
être toronnées lâche et de couleurs différentes.

Si vous achetez autre chose, rappelez-vous
qu'une corde épaisse est plus solide qu'une
corde fine, et que si elle est deux fois plus épaisse,
elle sera quatre fois plus solide. Les tresses
sont plus longues que les torons et le cordage
synthétique est plus résistant que celui en fibres
naturelles – il peut donc être plus fin. N'achetez
pas de cordage plus épais et de meilleure qualité
– et par conséquent plus cher – que le type
de cordage dont vous avez besoin pour le travail
à effectuer.

NŒUDS
MULTIFONCTIONS

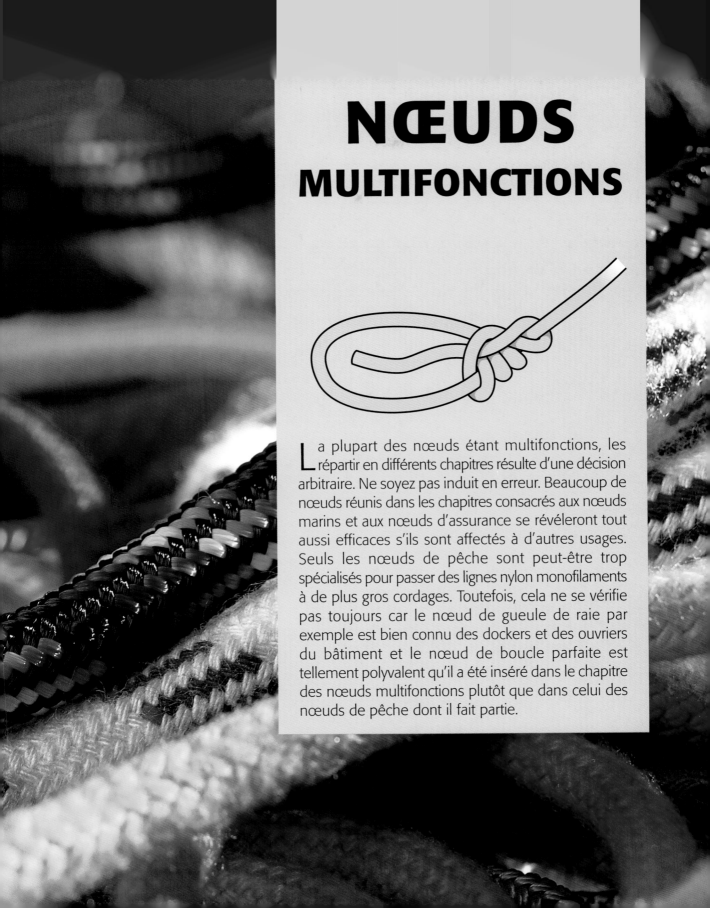

La plupart des nœuds étant multifonctions, les répartir en différents chapitres résulte d'une décision arbitraire. Ne soyez pas induit en erreur. Beaucoup de nœuds réunis dans les chapitres consacrés aux nœuds marins et aux nœuds d'assurance se révéleront tout aussi efficaces s'ils sont affectés à d'autres usages. Seuls les nœuds de pêche sont peut-être trop spécialisés pour passer des lignes nylon monofilaments à de plus gros cordages. Toutefois, cela ne se vérifie pas toujours car le nœud de gueule de raie par exemple est bien connu des dockers et des ouvriers du bâtiment et le nœud de boucle parfaite est tellement polyvalent qu'il a été inséré dans le chapitre des nœuds multifonctions plutôt que dans celui des nœuds de pêche dont il fait partie.

Nœud constricteur

L e nœud constricteur est un nœud solide, souvent utilisé comme surliure pour arrêter une corde. Il peut également servir à fixer un tuyau sur un robinet ou à maintenir des joints de menuiserie pendant que la colle sèche, voire à attacher un crayon ou un stylo à bille à un écritoire.

Méthode 1 (nouer avec le courant)

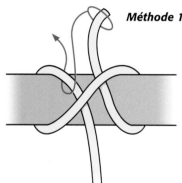

1 Faites d'abord un tour sur le support avec le courant et passez celui-ci en biais sur le dormant, de gauche à droite. Puis faites un second tour en passant le courant sous le dormant.

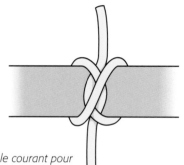

2 Détournez le courant pour faire un demi-nœud avec le tour initial. Tirez sur les extrémités du cordage de sorte que le demi-nœud soit maintenu. Vous pouvez ensuite couper les extrémités du cordage près du nœud pour obtenir un résultat plus soigné.

Méthode 2 (nouer dans la ganse)

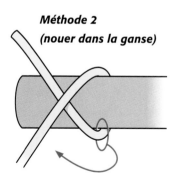

1 Si possible, faites ce nœud dans la ganse (c'est-à-dire sans utiliser les extrémités du cordage). Commencez par faire un tour sur le support.

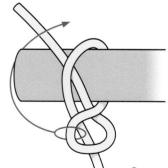

2 Puis sortez une ganse de la partie inférieure de ce tour.

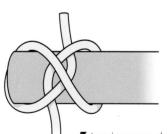

3 Imprimez une demi-torsion à la ganse et passez la boucle obtenue sur l'extrémité du support. Serrez le nœud et coupez les extrémités.

Nœud de boa

Quand la partie à nouer est de diamètre important –
par exemple s'il faut fermer une ganse pour former
une boucle – le nœud constricteur peut ne pas suffire.
Dans ce cas, il est préférable de réaliser un nœud de boa
(ou deux).

Conseil d'expert

Pour défaire un nœud
de boa, coupez les deux
diagonales avec
une lame aiguisée.

Méthode 1 (nouer avec le courant)

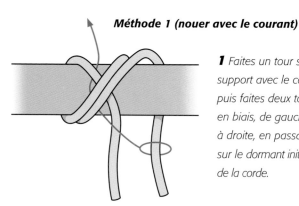

1 *Faites un tour sur le support avec le courant puis faites deux tours en biais, de gauche à droite, en passant sur le dormant initial de la corde.*

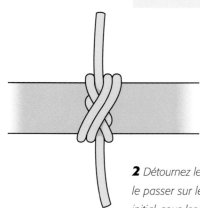

2 *Détournez le courant pour le passer sur le dormant initial, sous les tours en biais puis sous le tour initial. Serrez et coupez les extrémités.*

Méthode 2 (nouer dans la ganse)

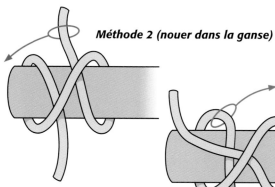

1 *Reproduisez l'étape 1 du nœud constricteur (voir page 22), et passez le courant en biais sur le tour initial.*

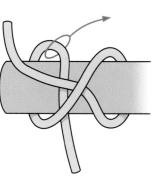

2 *Sortez une ganse du tour initial, au-dessus du courant.*

3 *Imprimez une demi-torsion à la ganse et placez la boucle obtenue sur l'extrémité du support en tirant en biais vers le bas.*

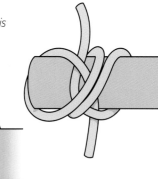

4 *Serrez le nœud et coupez les extrémités.*

Surliure simple

Les extrémités d'une corde en fibres naturelles ne peuvent pas être thermosoudées, et le nouage ou l'utilisation de ruban adhésif doivent être considérés comme des solutions temporaires. Tôt ou tard, il faudra réaliser une surliure.

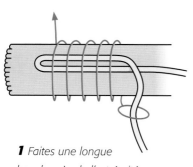

1 Faites une longue boucle près de l'extrémité de la corde.

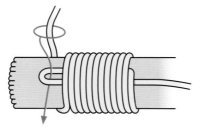

2 Exécutez des tours simples sur la boucle en veillant à ce qu'ils soient bien serrés, jusqu'à ce que la surliure soit au moins aussi large que le diamètre de la corde.

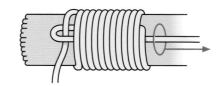

3 Le dernier tour doit être légèrement plus lâche que les précédents. Passez le courant dans l'extrémité de la boucle.

4 Tirez fermement sur le dormant pour dissimuler la boucle sous les tours en laissant venir le courant avec. L'extrémité de la boucle doit se trouver au centre de la surliure. Coupez la ficelle au ras de la surliure.

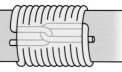

Nœud d'arrêt d'Ashley

Quand le nœud en huit d'arrêt (*voir* page 48) manque de volume et ne parvient pas à empêcher une corde de filer du conduit qui la contient ou la guide, employez ce nœud d'arrêt plus gros.

Histoire de nœuds

Le célèbre artiste maritime et créateur de nœuds Clifford Ashley découvrit ce nœud il y a plus de 90 ans tandis qu'il dessinait et peignait des scènes d'ostréiculture pour la revue *Harper*. Cela explique pourquoi les passionnés de nœuds anglo-saxons qui connaissent cette histoire le dénomment parfois nœud d'ostréiculteur.

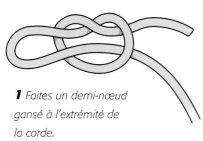

1 *Faites un demi-nœud gansé à l'extrémité de la corde.*

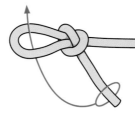

2 *Serrez le nœud puis introduisez le courant dans la boucle obtenue.*

3 *Tirez sur le dormant pour réduire la boucle jusqu'à ce qu'elle soit bloquée.*

Nœud d'ossel

Beaucoup de nœuds sont difficiles à réaliser avec des matériaux plats comme du ruban, des sangles ou des bandages. En voici un particulièrement efficace qui convient également pour les cordages ronds.

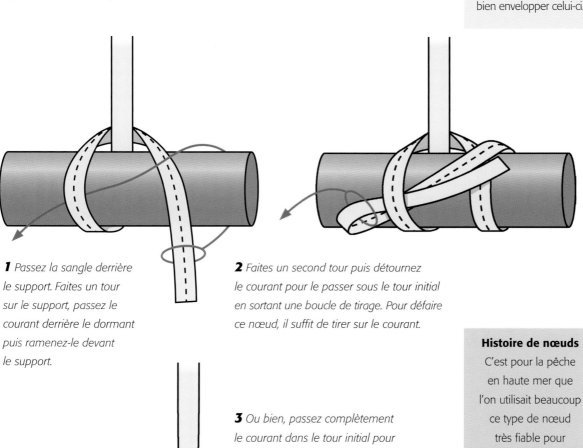

1 *Passez la sangle derrière le support. Faites un tour sur le support, passez le courant derrière le dormant puis ramenez-le devant le support.*

2 *Faites un second tour puis détournez le courant pour le passer sous le tour initial en sortant une boucle de tirage. Pour défaire ce nœud, il suffit de tirer sur le courant.*

3 *Ou bien, passez complètement le courant dans le tour initial pour obtenir une attache plus solide.*

Nœud de glaçon

Cette attache vous permettra de soulever des tronçons de tuyau d'écoulement ou de gouttière, de traîner des troncs d'arbre et des branches coupées sur un terrain accidenté, ou de remorquer des objets flottants sur l'eau. Avec des cordages plus fins, ce nœud peut servir à hisser des outils lourds.

Conseil d'expert

Serrez avec précaution chaque tour du nœud puis répétez l'opération avant de l'utiliser.

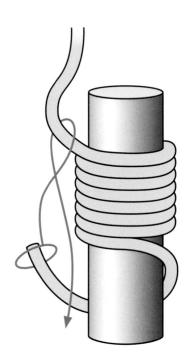

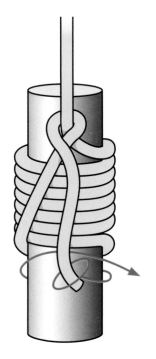

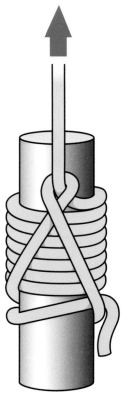

1 Faites six ou sept tours sur le support en partant de l'extrémité.

2 Détournez le courant en biais vers l'extrémité du support, de gauche à droite, et passez-le derrière le dormant, de droite à gauche.

3 Pour finir, faites une demi-clef pour bloquer le nœud.

Ci-dessus : sur un chantier, la sécurité consiste à éviter les risques prévisibles. Ce nœud, réalisé avec précaution, est d'une grande fiabilité.

Nœud d'Asher

Un nœud comme celui-ci permet de transporter des bouteilles, des bonbonnes, des jarres ou des pots lourds contenant toutes sortes de liquides (de l'eau à l'acide de batterie). Pratique pour rafraîchir des boissons dans un torrent avant un pique-nique estival.

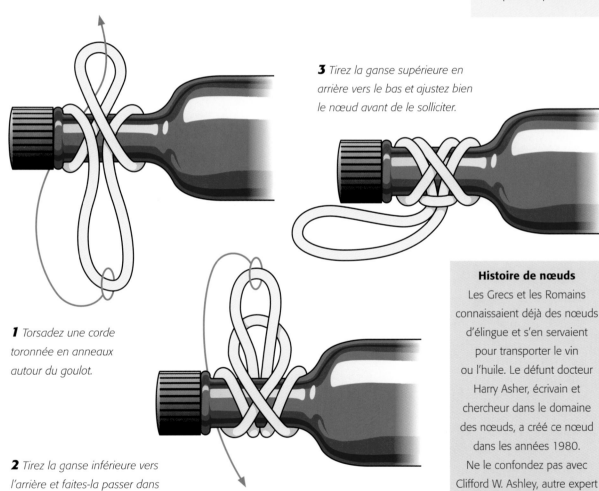

3 *Tirez la ganse supérieure en arrière vers le bas et ajustez bien le nœud avant de le solliciter.*

1 *Torsadez une corde toronnée en anneaux autour du goulot.*

2 *Tirez la ganse inférieure vers l'arrière et faites-la passer dans la ganse supérieure.*

Nœud de boucle parfaite

Quand un nœud de chaise (*voir* page 60) est susceptible de glisser – s'il est réalisé sur une corde synthétique rigide, par exemple – utilisez ce nœud plus fiable. Il ne bougera pas, même sur des cordes élastiques. Il peut également être exécuté sur un cordage fin pour ficeler un colis.

Histoire de nœuds

À l'époque où le nylon n'existait pas et où les pêcheurs utilisaient des lignes en crin de cheval, en boyau ou en soie, cette boucle faisait partie du matériel de pêche. C'est pourquoi elle est souvent nommée boucle de pêcheur.

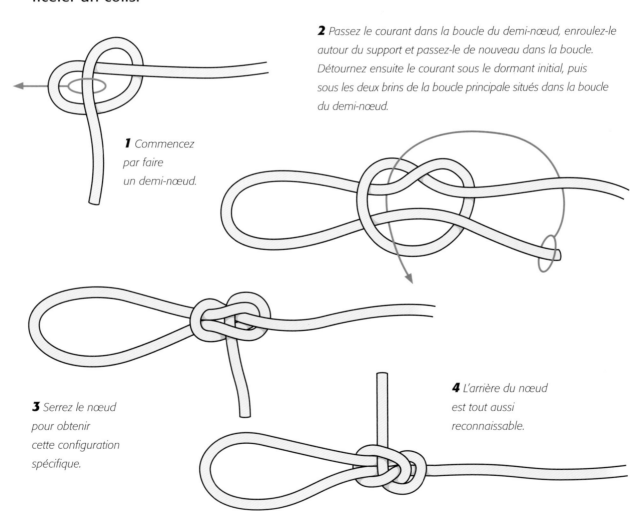

2 Passez le courant dans la boucle du demi-nœud, enroulez-le autour du support et passez-le de nouveau dans la boucle. Détournez ensuite le courant sous le dormant initial, puis sous les deux brins de la boucle principale situés dans la boucle du demi-nœud.

1 Commencez par faire un demi-nœud.

3 Serrez le nœud pour obtenir cette configuration spécifique.

4 L'arrière du nœud est tout aussi reconnaissable.

Nœud de Tarbuck

Ce nœud est idéal pour les cordes des tentes et des auvents, et pour d'autres types d'étais et de haubans qui nécessitent d'être réglés de temps à autre. Vous pouvez vous en servir pour tenir un brise-vent sur la plage, par exemple.

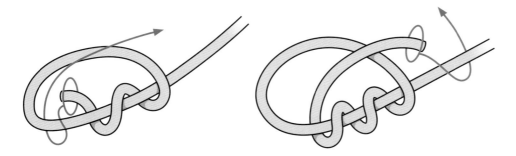

1 Faites un demi-nœud puis faites passer le courant deux fois dans la boucle.

2 Détournez le courant pour le passer derrière le dormant initial, à l'extérieur de la boucle.

Histoire de nœuds

Dans les années 1940, dans le Wisconsin, aux États-Unis, ce nœud était utilisé par les arboriculteurs américains qui l'appelaient nœud de compression. Il a été introduit en Grande-Bretagne dans les années 1950 par l'alpiniste et écrivain britannique Ken Tarbuck pour être réalisé sur les nouvelles cordes d'escalade en nylon commises en aussières. Toutefois, il s'est rapidement révélé inadapté aux cordages à gaine et âme, et il est maintenant recommandé comme nœud multifonctions.

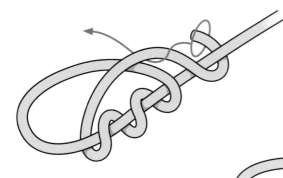

3 Puis glissez le courant sous le dormant.

4 Serrez le nœud avec précaution avant de le charger.

Nœud de chaise à deux boucles jumelles

Histoire de nœuds
Ce système a été présenté par un écrivain « noueur », l'Australien Charles Warner, dans son livre publié en 1992 *A fresh approach to knotting and ropework*. Ce nœud est résolument original.

Ce nœud curieux n'a pas de rôle précis mais, d'une grande polyvalence, il peut s'avérer pratique dans beaucoup de situations : pour attraper un animal, transporter un ordinateur en panne, tenir un enfant qui apprend à marcher…

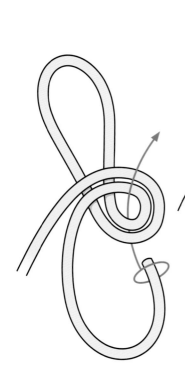

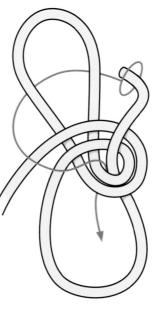

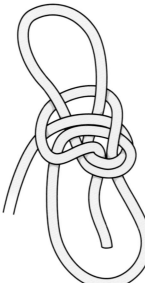

3 Passez le courant derrière la grande boucle formée par la ganse initiale et passez-le de nouveau dans la petite boucle.

1 Faites une longue ganse à l'extrémité de la corde et exécutez une petite boucle avec cette ganse. L'extrémité de la ganse doit former une grande boucle simple.

2 Passez l'extrémité du courant dans la petite boucle de façon à obtenir une troisième boucle, identique à celle formée par l'extrémité de la ganse initiale.

4 Ajustez les deux boucles simples à la dimension requise puis serrez le nœud complet et coupez les extrémités.

Nœud de jambe de chien

Ce nœud méconnu est en fait assez polyvalent.
Il permet de raccourcir une corde trop longue sans
la couper. Il sert aussi à isoler un segment de corde
endommagé. Le nœud de jambe de chien rudimentaire
sert à accrocher les cordes des cloches d'une église
quand celles-ci sont au repos. Le même nœud forme
le palan employé jadis par les charretiers pour brêler
les charges sur les remorques.

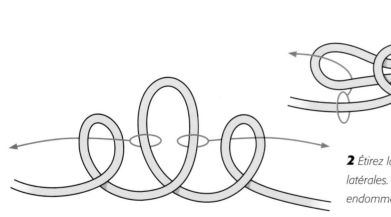

zone endommagée

*2 Étirez la boucle centrale pour la passer dans les boucles
latérales. Procédez de sorte que la partie éventuellement
endommagée reste au centre du nœud.*

*1 Faites trois boucles en passant
le courant sous le dormant.
La boucle centrale doit être plus
grande que les deux autres.*

*3 Bloquez les extrémités des boucles de l'une des deux manières suivantes :
faites passer l'extrémité du courant dans la boucle de façon à créer un nouage
identique à celui du nœud de chaise (voir page 60) ; ou coincez le dormant dans
la boucle avec une cheville improvisée de la dimension requise.*

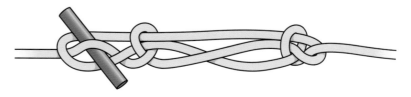

Nœud carré décoratif chinois

Ce nœud d'ajut peut servir à maintenir deux torons ensemble. Pourquoi ne pas en orner une aiguillette à laquelle on suspendrait un chronomètre d'entraîneur sportif, un sifflet d'arbitre ou un porte-bonheur ? Il peut également être joliment noué sur un foulard pour agrémenter le décolleté d'un chemisier.

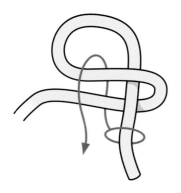

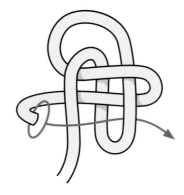

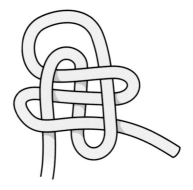

1 Commencez par faire une boucle puis passez le courant sous le dormant en formant une ganse.

2 Glissez le dormant sous la ganse en formant une seconde ganse, puis ramenez-le devant le nœud en passant dans la boucle.

3 Faites passer le courant sur le dormant puis glissez-le dans la seconde ganse.

4 Serrez le nœud pour faire apparaître son dessin.

5 L'arrière de ce nœud est particulier mais moins décoratif.

Histoire de nœuds

En chinois, une croix simple représente un « dix » et, ce que les Occidentaux considèrent comme sa face décorative est sans doute, en Chine, l'arrière du nœud.

GUIDE DES NŒUDS

Nœud de tresse
sur un brin

Ce nœud, pratique et chic, servira à orner un cordon d'interrupteur ou une embrasse de rideau ; il peut aussi remplacer une poignée de valise ou de sac de voyage cassée, ou simplement permettre de raccourcir une corde inutilement longue.

Conseil d'expert

Il est peu probable que la tresse soit régulière dès le premier nouage. En partant d'une extrémité, éliminez le mou le long du nœud jusqu'à l'autre extrémité ; recommencez plusieurs fois, jusqu'à ce que le mou ait complètement disparu.

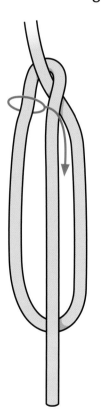
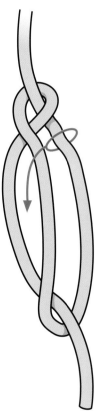
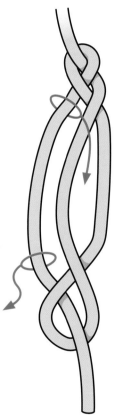

1 Faites une boucle en faisant passer le courant sur le dormant et en le laissant retomber parallèlement à la boucle.

2 Exécutez une tresse à trois brins – les brins de gauche et de droite doivent alternativement passer sur le brin central.

3 Démêlez régulièrement l'extrémité de la tresse.

4 Passez le courant dans l'extrémité de la boucle.

44

NŒUDS
MARINS

Ne vous aventurez jamais sur l'eau sans plusieurs cordages. On a parfois l'impression que le gréement et l'accastillage des bateaux actuels demandent une moindre connaissance des nœuds mais quelle que soit l'embarcation sur laquelle vous naviguez – un yacht ou un dériveur, une péniche ou un canoë, une planche à voile ou un jet-ski – le moment viendra où votre sécurité et votre confort dépendront de votre capacité à exécuter certains nœuds.

Tous les nœuds marins doivent être relativement solides et sûrs, mais aussi faciles à dénouer si nécessaire. La sélection proposée ci-après réunit toutes ces qualités.

Nœud en huit d'arrêt

Toutes les cordes passant à travers des chaumards, des conduits ou des palans – comme les écoutes de foc et de grand voile, et aussi les drisses – doivent être pourvues de nœuds d'arrêt pour les empêcher de s'échapper. Ce nœud remplit bien cette fonction.

Conseil d'expert

Si le nœud en huit n'est pas assez gros pour bloquer le filin là où il est engagé, utilisez le nœud d'arrêt d'Ashley (*voir* page 27).

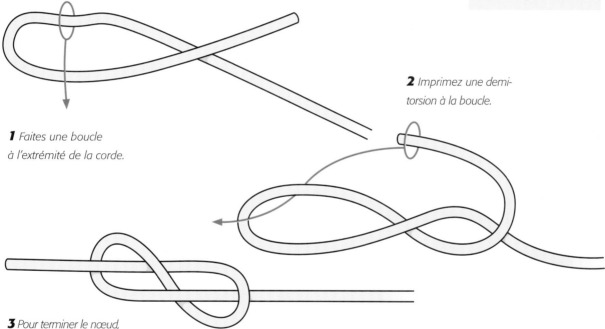

1 Faites une boucle à l'extrémité de la corde.

2 Imprimez une demi-torsion à la boucle.

3 Pour terminer le nœud, passez le courant dans la boucle.

Histoire de nœuds
Ce nœud est parfois nommé nœud de Savoie, appellation beaucoup plus ancienne.

4 Serrez le nœud en le tenant bien et en tirant sur le dormant de sorte que le brin court soit immobilisé plus ou moins perpendiculairement au dormant.

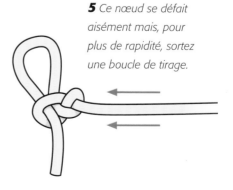

5 Ce nœud se défait aisément mais, pour plus de rapidité, sortez une boucle de tirage.

Nœud d'amarrage à deux tours et deux demi-clefs

C e nœud sert à amarrer la plupart des cordages à un anneau, une main courante, un pieu ou une autre corde. Il peut supporter une tension continue ou intermittente provenant de plusieurs directions. Utilisez-le pour mouiller ou accoster, pour amarrer un harnais de sécurité ou une autre longe à un point fixe, et pour remorquer un canot.

Ci-dessous : les bateaux ne sont pas simplement garés, mais aussi amarrés à l'avant et à l'arrière, et parfois même sur les côtés.

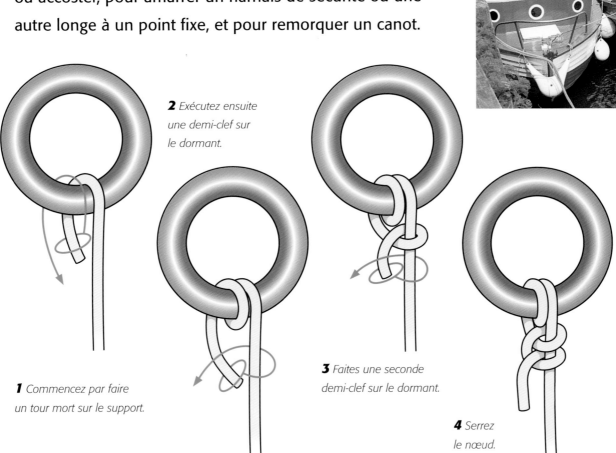

1 *Commencez par faire un tour mort sur le support.*

2 *Exécutez ensuite une demi-clef sur le dormant.*

3 *Faites une seconde demi-clef sur le dormant.*

4 *Serrez le nœud.*

Nœud d'ancre

Quand le nœud d'amarrage à deux tours et deux demi-clefs devient mouillé et glissant, ou pour n'importe quelle autre raison, optez pour cette variante plus fiable.

1 *Faites un tour mort sur le support puis passez le courant dans le tour en contournant le dormant.*

Histoire de nœuds

Traditionnellement, le nœud d'ancre est recommandé pour étalinguer une chaîne, c'est-à-dire réunir une chaîne à la manille d'une ancre.

2 *Réalisez une demi-clef sur le dormant et serrez le nœud.*

Nœud d'écoute amélioré
en huit

Pour amarrer une corde, utilisez ce nœud d'une étonnante simplicité.

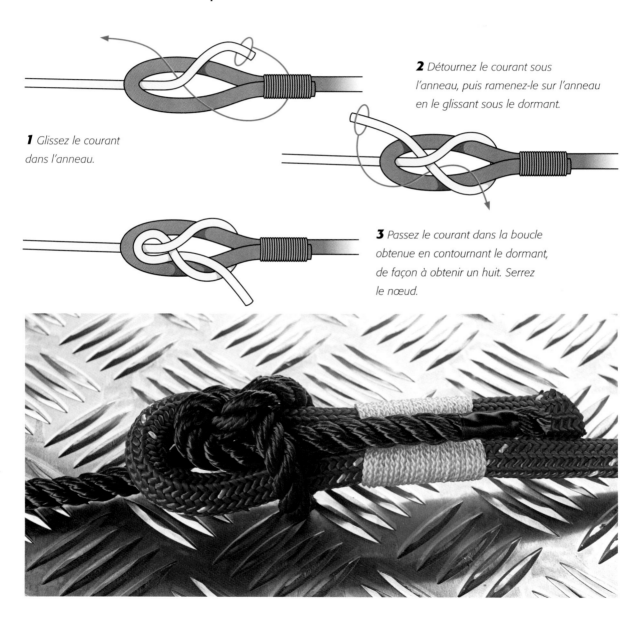

1 Glissez le courant dans l'anneau.

2 Détournez le courant sous l'anneau, puis ramenez-le sur l'anneau en le glissant sous le dormant.

3 Passez le courant dans la boucle obtenue en contournant le dormant, de façon à obtenir un huit. Serrez le nœud.

Nœud d'ossel double

À la différence du nœud d'ossel (*voir* page 28), avec lequel il ne faut pas le confondre, ce nœud ne convient pas aux sangles. Réalisé sur un cordage, il est plus solide et fiable que son parent moins résistant et saura supporter une tension provenant de plusieurs directions.

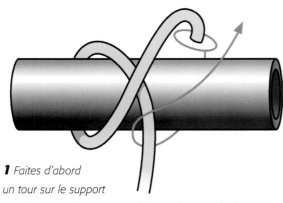

1 *Faites d'abord un tour sur le support avec le courant et passez celui-ci en biais sur le dormant, de gauche à droite, de façon à bloquer fermement la corde.*

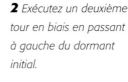
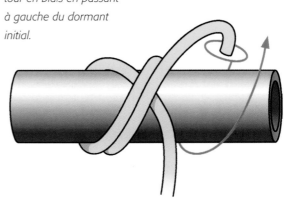

2 *Exécutez un deuxième tour en biais en passant à gauche du dormant initial.*

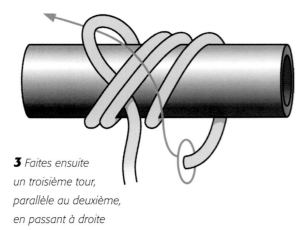

3 *Faites ensuite un troisième tour, parallèle au deuxième, en passant à droite du dormant.*

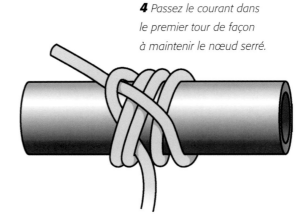

4 *Passez le courant dans le premier tour de façon à maintenir le nœud serré.*

Nœud de bôme

Ce joli nœud semi-permanent peut être exécuté sur une sangle ou un cordage. Employez-le quand vous avez besoin d'un nœud résistant et esthétique.

Conseil d'expert
Pour réaliser ce nœud, répétez l'opération « dessus-dessus-dessus-dessus – et on bloque. »

Histoire de nœuds
Quand l'écoute de grand voile s'est détachée de la bôme de mon dériveur, je l'ai rattachée avec une ride en utilisant ce nœud. J'ai pu ainsi naviguer contre vents et marées et je n'ai touché à rien jusqu'à la fin de la saison.

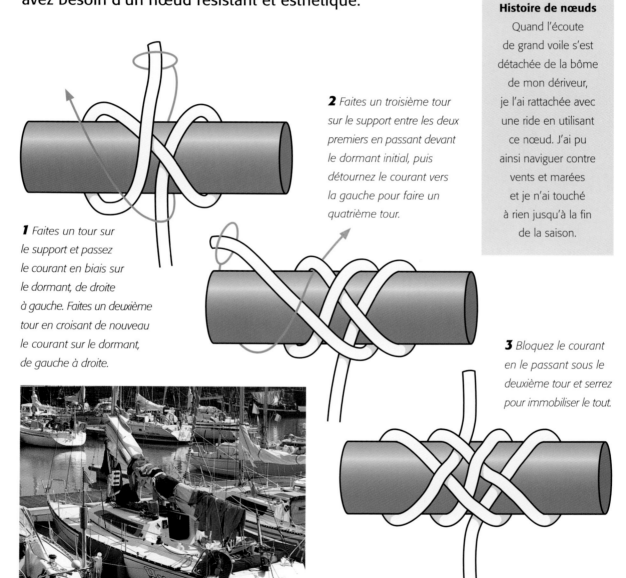

1 Faites un tour sur le support et passez le courant en biais sur le dormant, de droite à gauche. Faites un deuxième tour en croisant de nouveau le courant sur le dormant, de gauche à droite.

2 Faites un troisième tour sur le support entre les deux premiers en passant devant le dormant initial, puis détournez le courant vers la gauche pour faire un quatrième tour.

3 Bloquez le courant en le passant sous le deuxième tour et serrez pour immobiliser le tout.

Nœud d'amarrage
ou nœud de pilot

À terre, on peut utiliser une série de ces nœuds pour confectionner une clôture en attachant une corde à une rangée de pieux. En mer, il est utile pour amarrer une embarcation. Ce nœud est également très pratique pour improviser des poignées qui permettront de serrer au maximum le nœud constricteur ou le nœud de boa (*voir* pages 22 à 25).

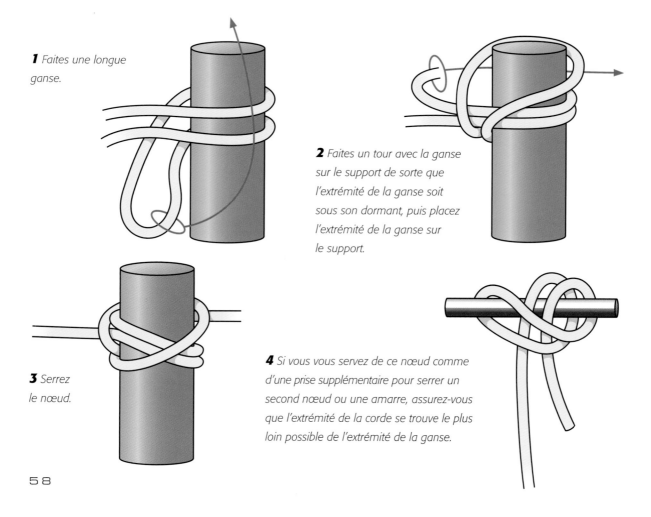

1 Faites une longue ganse.

2 Faites un tour avec la ganse sur le support de sorte que l'extrémité de la ganse soit sous son dormant, puis placez l'extrémité de la ganse sur le support.

3 Serrez le nœud.

4 Si vous vous servez de ce nœud comme d'une prise supplémentaire pour serrer un second nœud ou une amarre, assurez-vous que l'extrémité de la corde se trouve le plus loin possible de l'extrémité de la ganse.

Nœud de chaise

En mer, c'est le nœud fixe le plus sûr et le plus résistant pour attacher une corde à un œil ou un anneau. Il est également recommandé pour s'amarrer à un bollard. Vous pouvez très bien le laisser en place ; il n'est pas nécessaire de le défaire et de le refaire.

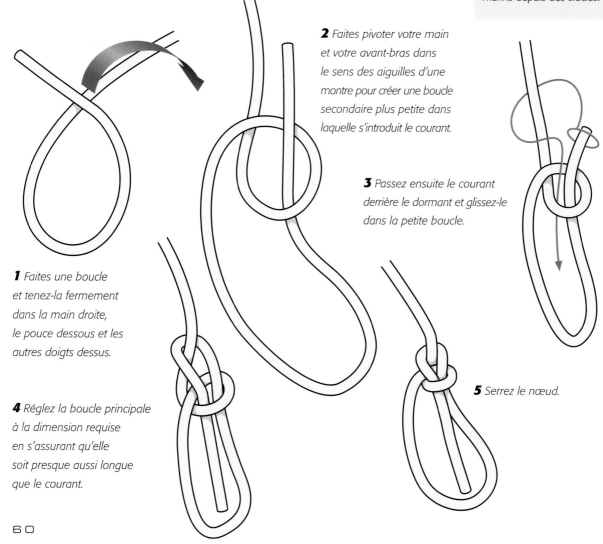

2 Faites pivoter votre main et votre avant-bras dans le sens des aiguilles d'une montre pour créer une boucle secondaire plus petite dans laquelle s'introduit le courant.

3 Passez ensuite le courant derrière le dormant et glissez-le dans la petite boucle.

1 Faites une boucle et tenez-la fermement dans la main droite, le pouce dessous et les autres doigts dessus.

4 Réglez la boucle principale à la dimension requise en s'assurant qu'elle soit presque aussi longue que le courant.

5 Serrez le nœud.

Nœud coulant

Quand un nœud coulant est utilisé comme nœud d'attache et que celui-ci doit être serré autour de son point d'amarrage, utilisez ce nœud. Il fonctionne très bien avec une cosse.

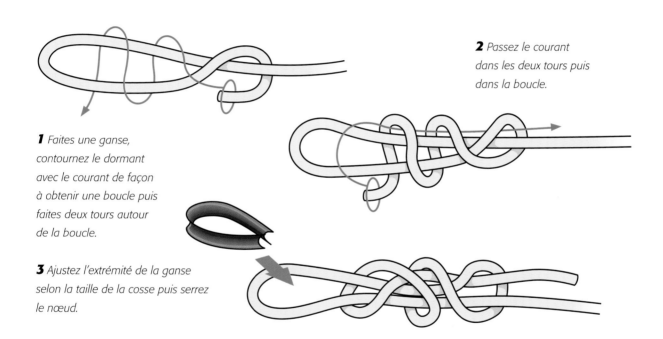

2 *Passez le courant dans les deux tours puis dans la boucle.*

1 *Faites une ganse, contournez le dormant avec le courant de façon à obtenir une boucle puis faites deux tours autour de la boucle.*

3 *Ajustez l'extrémité de la ganse selon la taille de la cosse puis serrez le nœud.*

Conseil d'expert

Les navigateurs se rendent compte que ce nœud est préférable à une épissure à œil qui (dans une corde trois torons) se détend et n'enserre plus la cosse, tandis que le long fuseau d'une épissure à œil en corde tressée se coince souvent dans les réats des poulies des palans. Ce nœud, en revanche, se serre sous l'effet de la charge et conserve son réglage.

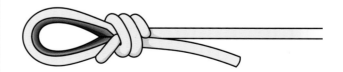

4 *Si vous utilisez une cosse, assurez-vous que ses pointes s'ajustent bien sur le nœud au moment où vous serrez la boucle.*

Nœud de Carrick

C e nœud permet de réunir des cordes et des câbles gros et peu flexibles. Il constitue aussi la base du nœud de cordon de couteau et du bonnet turc présentés dans ce chapitre.

1 Faites une boucle avec la première corde et passez le courant de la seconde corde sous le dormant puis sur le courant de la première corde.

2 Détournez le courant de la seconde corde en biais sous la boucle formée par la première corde en passant sur le dormant de la seconde corde.

3 Tirez sur les courants de chaque corde pour renverser le motif plat et obtenir une configuration différente mais plus stable et fiable.

Histoire de nœuds
À bord des navires
à voiles gréés en carré,
ce nœud d'ajut servait
à relier les câbles qui
devaient passer autour
de l'arbre d'un cabestan.

Nœud de Zeppelin

C e nœud d'ajut, comme beaucoup de nœuds de cette catégorie, est plus facile à exécuter avec des cordages assortis mais il tolère cependant une différence de diamètre et de structure. C'est un nœud résistant, que vous pouvez utiliser pour relier des amarres, des remorques et autres cordes.

Conseil d'expert
Ce nœud peut être chargé avant d'être complètement serré, ce qui – quand les choses vont vite, comme c'est parfois le cas en mer – est une qualité rassurante.

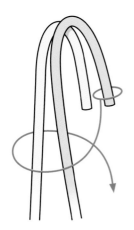

1 *Tenez les deux cordes ensemble, les courants retombant vers le bas.*

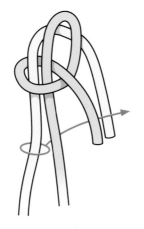

2 *Faites une demi-clef avec le courant de droite, en passant autour des deux dormants.*

3 *Détournez le dormant de gauche devant son courant pour obtenir une boucle et passez ce même courant dans les deux boucles, de droite à gauche.*

Histoire de nœuds
La Marine américaine employa ce nœud dans les années 1930 pour amarrer ses dirigeables ; il était alors dénommé nœud de Rosendahl, en hommage au commandant du *Los Angeles*, le plus gros de ces aérostats. Le nom « nœud de Zeppelin » est apparu pour la première fois en 1976, dans un article rédigé par Lee et Bob Payne pour la revue *Boating*.

4 *Vous devez obtenir une paire de nœuds entrelacés.*

5 *Serrez le nœud.*

Nœud de cordon de couteau
ou nœud de diamant simple

Ce nœud, à la fois solide et décoratif, peut se substituer au nœud carré décoratif chinois (*voir* page 42) pour attacher un couteau pliant ou un autre outil à une corde d'amarrage.

2 Réglez la grande boucle à la dimension requise. Détournez le dormant vers le côté opposé pour le faire passer sous le nœud puis faites-le repasser de nouveau devant par le centre.

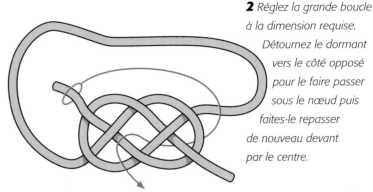

1 Faites un nœud de Carrick (voir page 64) en procédant avec une seule corde.

4 Tirez délicatement la grande boucle vers le bas, tout en soulevant et en tirant délicatement les deux courants afin que le motif plat formé par les entrelacs devienne tridimensionnel et ressemble à un nid d'oiseau.

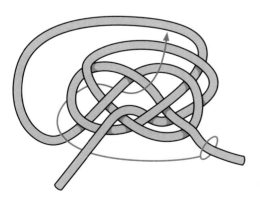

3 Répétez l'opération avec le courant, en passant sous le dormant.

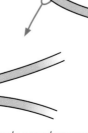

5 Serrez le nœud progressivement.

Bonnet turc
à 3 spires et 5 ganses

Noué à plat, ce nœud décoratif constitue une protection astucieuse qui empêche les ponts en bois d'être abîmés par un palan non fixé. Comme bracelet tressé, il peut être installé sur une barre de gouvernail ou sur le rayon central de la barre à roue d'un voilier. Autour d'un poignet ou d'une cheville, il devient un accessoire nautique très tendance.

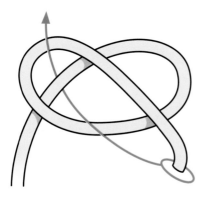

1 Exécutez un demi-nœud incomplet.

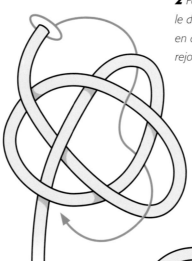

2 Faites passer le courant sur le dormant puis sous le dormant en alternant jusqu'à ce qu'il rejoigne le dormant initial.

3 Répétez le parcours d'origine pour doubler, tripler voire quadrupler la première passe, puis cousez les deux extrémités pour les rendre invisibles.

Histoire de nœuds

À l'est de Suez, les hommes portaient un turban que les marins d'autrefois appelaient un turc. Le nom de ce nœud est donc certainement lié à sa ressemblance avec ce fameux turban. Il existe d'innombrables bonnets turcs plus compliqués et des livres ont été écrits sur cette grande famille de nœuds.

NŒUDS
D'ASSURANCE

Le terme ancien qui sert à désigner l'assortiment de points d'assurage et de boucles est nœud d'escalade mais la dénomination « nœuds d'assurance » est plus appropriée car elle représente mieux les divers utilisateurs de ce genre de nœuds : alpinistes et spéléologues, certes, mais aussi aventuriers de l'extrême, aficionados des sports à risques, ingénieurs en génie civil et scientifiques, gendarmes maritimes ou sauveteurs de haute montagne et militaires des escouades d'assaut. Tous doivent s'aventurer sur des terrains dangereux afin d'accéder à des zones isolées pour leur travail ou leurs loisirs.

Bloquer un lovage
en capucin

Il y a diverses manières de lover une corde. Cette technique fiable et ingénieuse permet d'obtenir un arceau facile à porter et qui ne s'emmêle pas.

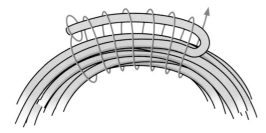

1 *Après avoir lové votre corde, faites une longue ganse avec le courant et positionnez-la le long de la corde lovée.*

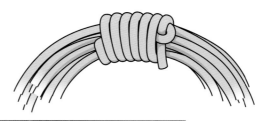

2 *Exécutez des tours autour de la ganse avec le dormant en serrant bien.*

3 *Pour finir, passez le courant dans l'extrémité de la ganse et bloquez-la en tirant sur le dormant de la ganse.*

Conseil d'expert

Il est recommandé de transporter une corde dans un sac où elle sera protégée de la saleté.

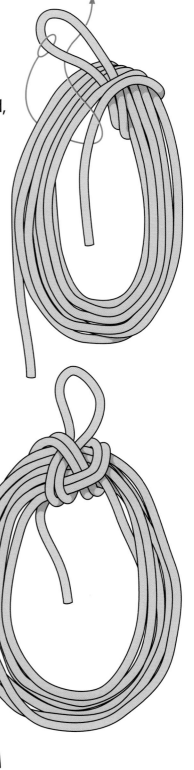

Bloquer un lovage
sur demi-clefs

Une corde lovée doit être suspendue à l'abri ; ce nœud, qui intervient à l'étape finale de l'enroulement, est particulièrement approprié à cette fonction.

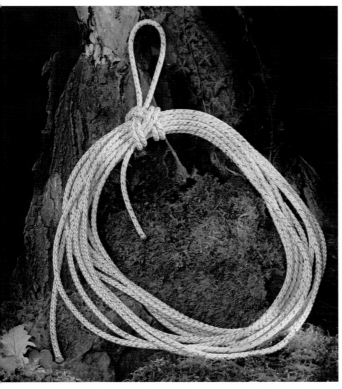

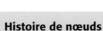

1 *Après avoir lové votre corde, faites une longue ganse avec le courant puis exécutez une demi-clef sur la corde lovée avec la ganse.*

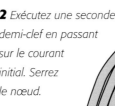

2 *Exécutez une seconde demi-clef en passant sur le courant initial. Serrez le nœud.*

Histoire de nœuds

Ce nœud, réalisé avec une corde simple autour d'une plus grosse corde, était utilisé en pêche industrielle pour amarrer des chaluts, et aussi par les cavaliers et les cow-boys pour attacher leurs montures à un poteau et ainsi les empêcher de s'enfuir.

Nœud de milieu d'alpinisme

Ce nœud d'escalade classique – noué dans la ganse, sans utiliser aucune extrémité – forme une boucle fixe à laquelle l'alpiniste milieu de cordée (lors d'une course sur glacier par exemple) s'accroche avec un mousqueton. Il résiste aux tensions provenant de plusieurs directions. Ce nœud sert aussi à isoler un segment de corde abîmé.

1 *Tirez une longue ganse et imprimez une torsion à cette ganse de façon à obtenir deux boucles.*

2 *Basculez la boucle supérieure sur la boucle inférieure de sorte qu'elle repose sur les deux brins de la ganse.*

3 *Faites passer l'extrémité de la boucle supérieure dans la boucle inférieure par l'arrière puis tirez vers le haut pour serrer le nœud.*

Conseil d'expert

Une personne accrochée dans ce nœud peut être entraînée par les mouvements de ceux qui la précèdent ou la suivent. Pour obtenir du mou, faites ce nœud avec une plus grande boucle mais gardez les mousquetons avec vous. Utilisez deux mousquetons aux ouvertures inversées et opposées.

Nœud de plein poing

C e nœud se réalise indifféremment sur une sangle ou un cordage dans les situations nécessitant une assurance, ou pour improviser un harnais. Facile à exécuter – avec une seule main, d'où son nom – c'est un nœud très utilisé.

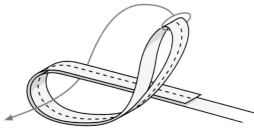

1 *Faites une longue ganse sur l'extrémité de la sangle en éliminant toute torsion inutile.*

2 *Exécutez un demi-nœud avec la sangle doublée.*

3 *Serrez le nœud.*

Nœud de Frost

Voici comment confectionner une sangle sans fin tout en ajoutant une boucle fixe à l'une des extrémités de façon à improviser des étriers portatifs (de courtes échelles d'escalade). Ce nœud peut aussi figurer sur des harnais d'escalade noués.

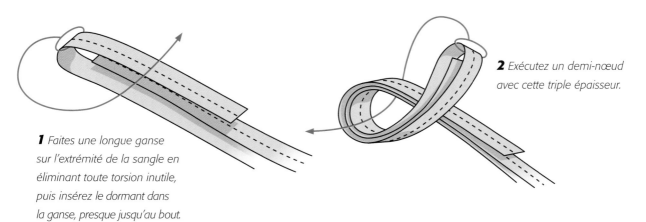

1 Faites une longue ganse sur l'extrémité de la sangle en éliminant toute torsion inutile, puis insérez le dormant dans la ganse, presque jusqu'au bout.

2 Exécutez un demi-nœud avec cette triple épaisseur.

3 Serrez le nœud.

Histoire de nœuds

Les alpinistes utilisent beaucoup de nœuds portant le nom d'une personne ; celui-ci a été dédié à Tom Frost dans les années 1960.

Nœud de boucle en huit

Facile à apprendre et à exécuter dans les circonstances les plus difficiles, ce nœud est très utilisé pour réaliser une boucle fixe au bout d'une corde. Sa forme familière peut aisément être vérifiée par un guide ou un premier de cordée. Attachez cette boucle sur des points d'assurage fixes et utilisez-la pour assurer des grimpeurs.

Conseil d'expert

Les deux parties de corde doublées ne sont pas parallèles mais changent de côté dès qu'elles entrent ou sortent d'une courbe, formant un nœud bien ajusté et profilé.

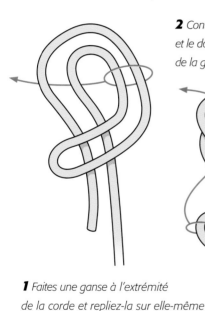

2 Contournez le courant et le dormant avec l'extrémité de la ganse.

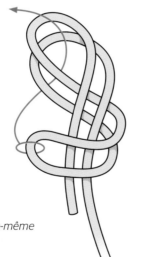

1 Faites une ganse à l'extrémité de la corde et repliez-la sur elle-même pour obtenir une boucle.

3 Passez l'extrémité de la ganse dans la boucle initiale.

4 Serrez le nœud en éliminant les torsions. Prévoyez un courant assez long pour le nouer au dormant avec un nœud simple.

Histoire de nœuds

Ce nœud est aussi appelé nœud de guide, suggérant son utilisation par des alpinistes professionnels.

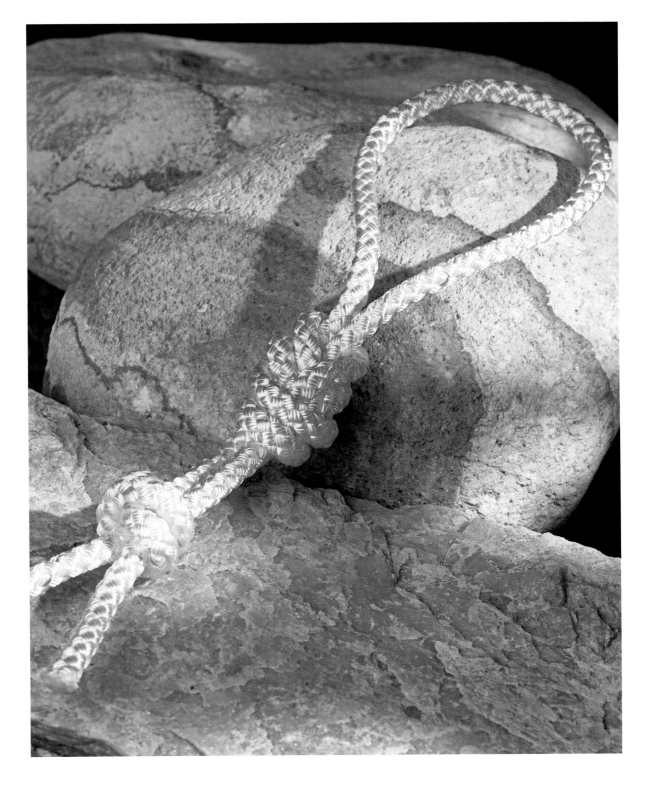

Nœud en huit double en boucle

Les boucles doubles non coulissantes ont plusieurs applications. Elles servent à soulever ou abaisser un blessé, soit comme chaise improvisée avec une boucle passée autour de la poitrine, sous les aisselles, et l'autre servant de siège, soit nouées à l'une des extrémités d'un brancard. Elles peuvent également être employées pour assurer un grimpeur à plusieurs points d'assurage, ainsi que pour monter et descendre du matériel.

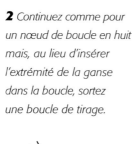

2 Continuez comme pour un nœud de boucle en huit mais, au lieu d'insérer l'extrémité de la ganse dans la boucle, sortez une boucle de tirage.

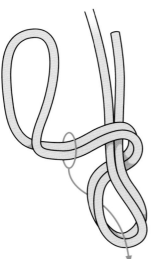

1 Faites une longue ganse à l'extrémité de la corde et exécutez une boucle.

3 Rabattez l'extrémité de la ganse initiale devant le nœud presque terminé et passez les deux boucles dans la ganse.

4 Arrangez et serrez le nœud.

Nœud de chaise triple

Comme le nœud en huit double décrit précédemment, le nœud de chaise triple sert à monter ou descendre un blessé lors d'une course d'escalade, soit comme chaise improvisée avec une boucle passée autour de la poitrine sous les aisselles, les deux autres servant de siège, soit pour porter une civière. Il peut aussi être employé pour s'assurer à trois points d'ancrage, et pour monter ou descendre du matériel.

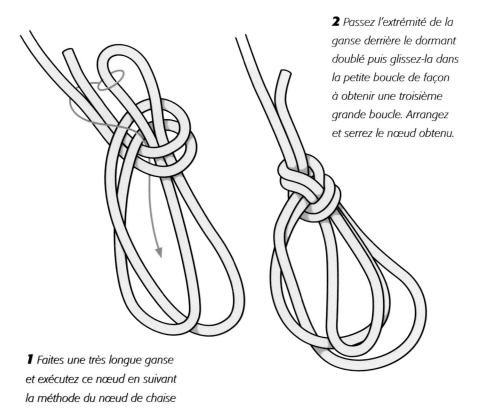

2 Passez l'extrémité de la ganse derrière le dormant doublé puis glissez-la dans la petite boucle de façon à obtenir une troisième grande boucle. Arrangez et serrez le nœud obtenu.

1 Faites une très longue ganse et exécutez ce nœud en suivant la méthode du nœud de chaise simple (voir page 60) mais en procédant avec la ganse.

Conseil d'expert

Pour ce nœud, on a coutume de faire des boucles plus ou moins de même dimension par souci de simplicité. La troisième boucle peut, bien sûr, être beaucoup plus longue, ou un peu plus courte, que les deux autres. Toutefois, pour créer des boucles dissemblables, il faut y penser au début du processus de nouage car, une fois le nœud terminé et serré, l'opération est trop délicate.

Nœud de sangle

C'est le seul nœud pouvant réunir deux sangles recommandé par les clubs d'escalade. Il peut se substituer au nœud flamand et fonctionne également avec du cordage. Utilisez-le également pour confectionner une élingue sans fin.

2 Insérez le courant de l'autre sangle dans le demi-nœud et répétez le parcours de la première sangle.

1 Exécutez un demi-nœud à l'extrémité d'une des deux sangles.

3 Une fois le demi-nœud complètement doublé, serrez le nœud.

Nœud de Frost double

Ce nœud, exécuté sur une sangle, est l'équivalent du nœud de jambe de chien réalisé sur un cordage. Il sert non seulement à raccourcir une sangle plate mais fournit aussi deux boucles auxquelles il est possible de s'arrimer avec des mousquetons si besoin. Il permet aussi d'isoler un segment de sangle abîmé ou usé.

> **Histoire de nœuds**
> Ce nœud porte aussi le nom de nœud d'étriers.

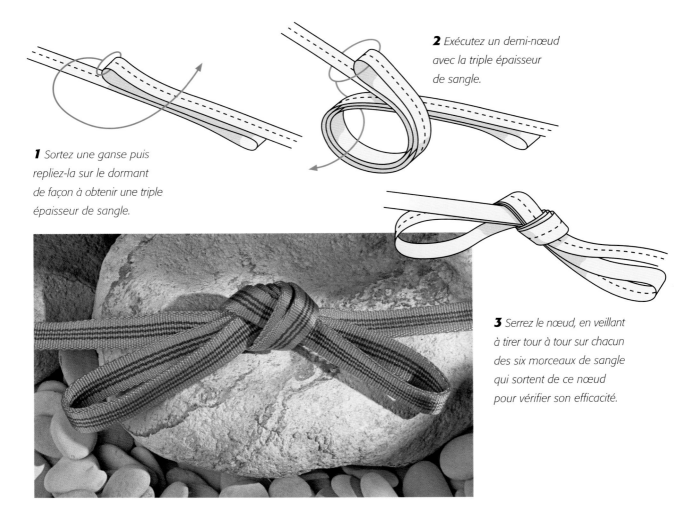

2 Exécutez un demi-nœud avec la triple épaisseur de sangle.

1 Sortez une ganse puis repliez-la sur le dormant de façon à obtenir une triple épaisseur de sangle.

3 Serrez le nœud, en veillant à tirer tour à tour sur chacun des six morceaux de sangle qui sortent de ce nœud pour vérifier son efficacité.

Nœud vice-versa

Assemblez deux cordes glissantes avec ce nœud solide et sûr. Il est préférable qu'elles soient de diamètre et de construction identiques même si le nœud fonctionne également assez bien avec deux cordes dissemblables.

Histoire de nœuds

Ce nœud a été proposé aux alpinistes par C.E.I. Wright et J.E. Magowan dans le n° 40 de l'*Alpine Journal* daté de mai 1928. Il était destiné à être utilisé sur les cordes en lin à trois torons de cette époque.

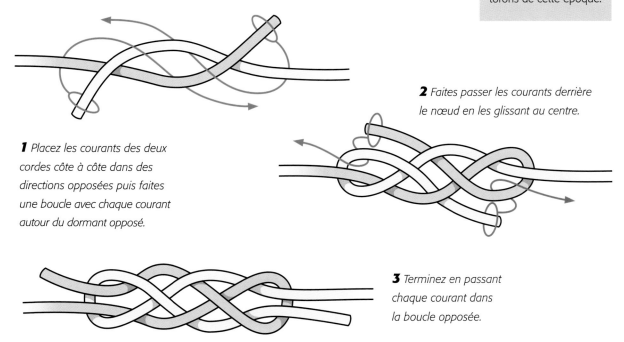

1 Placez les courants des deux cordes côte à côte dans des directions opposées puis faites une boucle avec chaque courant autour du dormant opposé.

2 Faites passer les courants derrière le nœud en les glissant au centre.

3 Terminez en passant chaque courant dans la boucle opposée.

Conseil d'expert

Ce nœud présente une élégante symétrie ; il est facile à exécuter mais, bien qu'il soit connu depuis au moins 80 ans, il est peu utilisé. Il serait intéressant de le remettre au goût du jour et de tester son adaptabilité aux cordes d'escalade synthétiques actuelles à gaine et âme et tresse sur tresse.

4 Serrez le nœud.

Nœud flamand
renforcé

Ce nœud peut se substituer au nœud de sangle et au nœud vice-versa précédemment décrits.

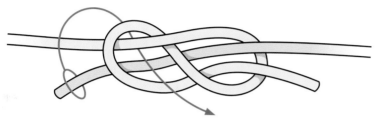

1 Placez les courants des deux cordes côte à côte dans des directions opposées et exécutez un nœud en huit avec l'un des courants sur le dormant opposé.

2 Répétez le parcours de la première corde avec le second courant.

3 Arrangez et serrez le nœud ainsi obtenu.

Conseil d'expert

Éliminez les torsions indésirables mais assurez-vous que les parties de nœud doublées changent de côté dans les courbes. Par souci de sécurité, laissez les extrémités assez longues et scotchez-les ou nouez-les sur leur dormant adjacent.

Nœud plat

C e nœud servait autrefois à fixer les garcettes de ris à la grand voile, voilà pourquoi il est également appelé nœud de ris renforcé. L'usage s'étant perdu, il n'est pas classé ici parmi les nœuds marins. Fait surprenant, il est également recommandé dans un ou deux manuels d'escalade pour assembler deux ou plusieurs cordes de rappel.

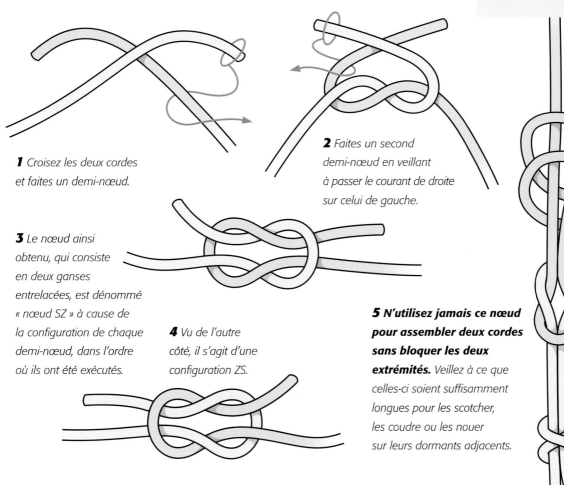

1 Croisez les deux cordes et faites un demi-nœud.

2 Faites un second demi-nœud en veillant à passer le courant de droite sur celui de gauche.

3 Le nœud ainsi obtenu, qui consiste en deux ganses entrelacées, est dénommé « nœud SZ » à cause de la configuration de chaque demi-nœud, dans l'ordre où ils ont été exécutés.

4 Vu de l'autre côté, il s'agit d'une configuration ZS.

5 N'utilisez jamais ce nœud pour assembler deux cordes sans bloquer les deux extrémités. Veillez à ce que celles-ci soient suffisamment longues pour les scotcher, les coudre ou les nouer sur leurs dormants adjacents.

Nœud de Munter à friction

Ce nœud permet de tracter une charge avec un simple mousqueton en freinant la corde grâce à un phénomène de friction. Le porteur du mousqueton peut, à sa guise, laisser aller ou freiner une corde sous tension – peut-être même retenir un alpiniste dans sa chute. Ce nœud est bidirectionnel et, si le mousqueton est assez gros, la clef se retournera d'un coup léger pour faciliter l'absorption du mou indésirable.

Histoire de nœuds

Ce nœud d'escalade a été présenté pour la première fois lors d'une réunion de l'Union internationale des associations d'alpinisme en Italie, en 1974, et porte le nom de son inventeur.

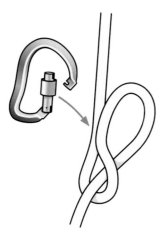

1 Faites une ganse dans le dormant de la corde, imprimez une demi-torsion à la ganse puis accrochez un mousqueton dessus.

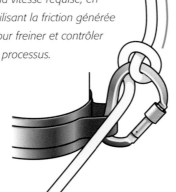

2 Laissez aller la charge à la vitesse requise, en utilisant la friction générée pour freiner et contrôler le processus.

3 Pour absorber le mou, commencez par inverser la configuration de la boucle.

4 Tenez fermement la corde et, que vous la freiniez ou la laissiez aller, elle se bloquera sous l'effet de la charge.

Conseil d'expert

Il a été prouvé que, soumis à une charge importante et soudaine, ce nœud risque de brûler les cordes synthétiques. Certains utilisateurs en doutent puisque la zone de contact change constamment. Néanmoins, les courbes prononcées de ce nœud mettent à rude épreuve la géométrie de la construction d'une corde d'escalade. Il est donc conseillé de se débarrasser de toute corde qui – avec ce type de nœud – aurait été contrainte d'absorber un choc extrême et serait donc parvenue à la limite de sa résistance à la rupture.

Nœud de mule de Munter

S'il devient nécessaire d'avoir les deux mains libres lors d'un exercice de rappel ou d'assurage, optez pour le nœud de mule.

2 Tirez une ganse sur le courant de sorte qu'elle passe derrière le dormant. Formez deux boucles sur la ganse puis insérez la seconde boucle dans la première en passant devant le dormant.

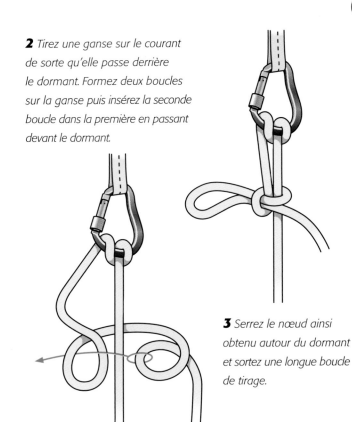

4 Faites glisser le nœud sous le mousqueton.

1 Freinez l'action du nœud.

3 Serrez le nœud ainsi obtenu autour du dormant et sortez une longue boucle de tirage.

Histoire de nœuds
Le nœud à friction de Munter est un de ces nombreux nœuds sans nœuds, un terme contradictoire mais pourtant expressif pour désigner une catégorie de nœuds qui dépendent de l'insertion d'une pièce de quincaillerie (dans cet exemple, un mousqueton) pour conserver leur forme. En effet, sans cet ajout, ils se défont. Le nœud d'amarrage (*voir* page 58) en fait partie.

5 Nouez la boucle de tirage autour du dormant.

NŒUDS
DE PÊCHE

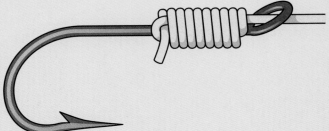

L a plupart des nœuds de pêche sont exécutés sur de fins monofilaments en nylon et, malgré une vaste gamme de diamètres correspondant à un indice de solidité, ces nœuds paraissent minuscules comparés à ceux qui sont réalisés pour d'autres usages sur un cordage ordinaire. Dans ce chapitre, ils sont illustrés avec des matériaux beaucoup plus épais et, par conséquent, plus faciles à exécuter et à apprendre. Une fois qu'ils sont maîtrisés, essayez de les réaliser sur du fil de pêche.

L'exécution des nœuds de pêche est une opération délicate et, dans un livre comme celui-ci, il est impossible de décrire les gestes habiles des pêcheurs d'autrefois, évoquant presque ceux des tours de passe-passe.

Il y a toutefois une technique indispensable qui peut être expliquée, celle du *flyping*. Plusieurs nœuds disparates utilisent la même astuce : deux parties de nœuds sont nouées ensemble mais, au moment du serrage, une des deux parties s'enroule sur elle-même et se retourne, un peu comme un gant ou une chaussette.

Nœud de chirurgien
en boucle

Voici un moyen rapide et aisé de réaliser une boucle fixe très solide au bout d'une ligne.

Histoire de nœuds

Le terme *flyping* est apparu dans les livres il y a environ 100 ans, après avoir été employé pour la première fois par le physicien écossais Peter Guthrie Tait (1831-1901). Il a été remis au goût du jour au milieu des années 1980 pour désigner une manipulation consistant à renverser le nœud avant de le serrer.

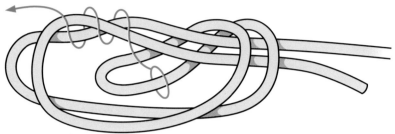

1 Faites une longue ganse à l'extrémité de la ligne puis exécutez un nœud simple avec l'extrémité de la ganse.

2 Passez deux fois l'extrémité de la ganse dans la boucle.

3 Tirez de chaque côté du nœud pour le renverser.

4 Arrangez et serrez le nœud ainsi obtenu.

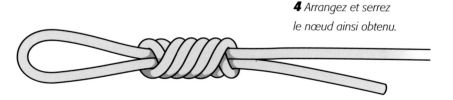

Boucle coincée en nœud de capucin

Cette boucle qui se greffe sur le dormant de la corde sert à l'accrochage de leurres ou d'hameçons.

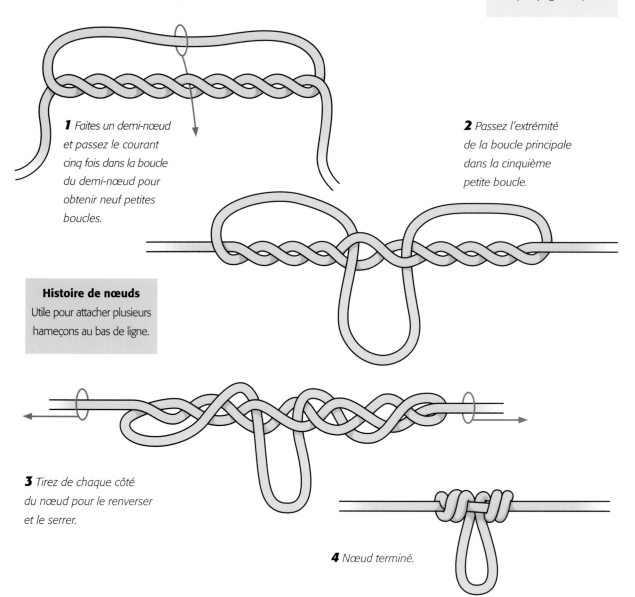

1 *Faites un demi-nœud et passez le courant cinq fois dans la boucle du demi-nœud pour obtenir neuf petites boucles.*

2 *Passez l'extrémité de la boucle principale dans la cinquième petite boucle.*

Histoire de nœuds
Utile pour attacher plusieurs hameçons au bas de ligne.

3 *Tirez de chaque côté du nœud pour le renverser et le serrer.*

4 *Nœud terminé.*

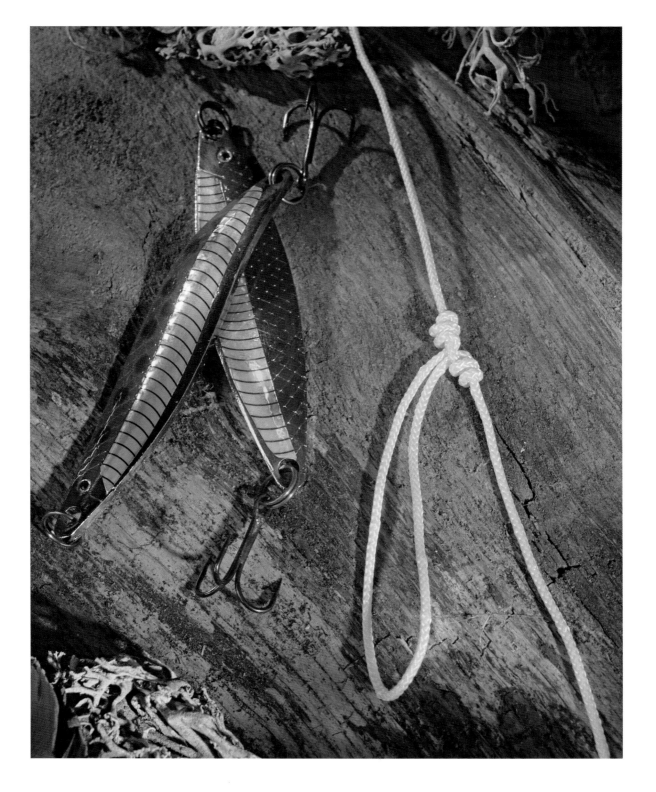

Surliure d'assemblage
sur hameçon

Idéal pour fixer une ligne à un hameçon car ils seront parfaitement alignés au moment de la traction.

Histoire de nœuds
Ce nœud date de l'époque à laquelle les hameçons sans œillet étaient courants, mais il fonctionne aussi avec les hameçons à œillet.

1 *Passez le courant dans l'œillet de l'hameçon.*

2 *Exécutez une grande boucle et positionnez-la sous la hampe de l'hameçon.*

3 *Faites des tours avec l'extrémité de la boucle autour de la hampe et du courant, de l'œillet vers la courbure, en veillant à les serrer précautionneusement, sans se piquer le doigt.*

4 *Tirez sur le dormant pour serrer le nœud.*

5 *Coupez l'extrémité de la ligne.*

Nœud de surliure
de bas de ligne

C e nœud permet un montage solide ; c'est une application spéciale de la surliure d'assemblage sur hameçon. Il sert à fixer le bas de ligne au corps de la ligne. Exécutez-le en vous aidant d'un clou, ou encore d'un petit bout de paille, d'un court tube en métal de petit diamètre, ou bien d'une cartouche de stylo vide.

Histoire de nœuds
Le pêcheur à la mouche américain Joe Brooks a appris ce nœud en Argentine, où on l'exécutait essentiellement avec des clous de fer à cheval.

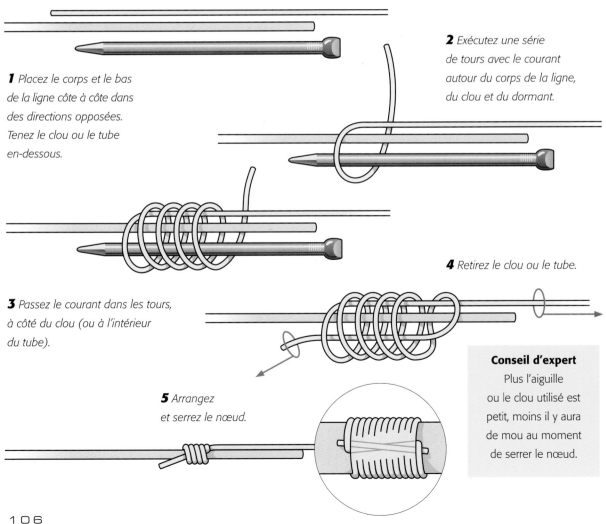

1 Placez le corps et le bas de la ligne côte à côte dans des directions opposées. Tenez le clou ou le tube en-dessous.

2 Exécutez une série de tours avec le courant autour du corps de la ligne, du clou et du dormant.

3 Passez le courant dans les tours, à côté du clou (ou à l'intérieur du tube).

4 Retirez le clou ou le tube.

5 Arrangez et serrez le nœud.

Conseil d'expert
Plus l'aiguille ou le clou utilisé est petit, moins il y aura de mou au moment de serrer le nœud.

Nœud de Domhof

Conseil d'expert
N'utilisez pas
d'hameçon à œillet plat
car il serait impossible
d'exercer une traction
constante.

C e nœud, comme la surliure d'assemblage sur hameçon (*voir* page 104), peut être utilisé avec tout type d'hameçon.

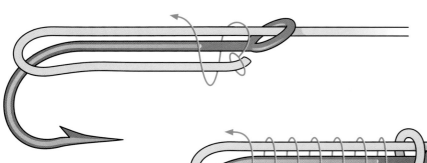

2 Exécutez des tours avec le courant autour de la hampe et de la ganse, de l'œillet vers la courbure, en veillant à les serrer précautionneusement, sans vous piquer le doigt.

1 Passez le courant dans l'œillet de l'hameçon, faites une ganse et positionnez-la sous la hampe de l'hameçon.

3 Passez le courant dans l'extrémité de la ganse et tirez sur le dormant pour serrer le nœud.

4 Coupez l'extrémité de la ligne.

Non-slip mono knot

C e nœud permet à un hameçon ou à un leurre de bouger librement ; il est préférable à certains nœuds plus serrés. Il est particulièrement recommandé pour les leurres qui peuvent alors bouger de façon réaliste.

Conseil d'expert

Pour obtenir la résistance à la rupture requise pour ce nœud (avoisinant les 100 %), il est indispensable d'adapter le nombre de tours effectués avec le courant autour du dormant à la grosseur de la ligne. Les lignes et les tresses fines admettent six ou sept tours et les plus grosses deux ou trois.

1 Faites un demi-nœud près de l'extrémité de la ligne, passez le courant dans l'œillet du support et glissez-le dans la boucle du demi-nœud.

2 Exécutez au moins quatre tours autour du dormant.

3 Repassez le courant dans la boucle du demi-nœud.

4 Tirez sur le dormant pour renverser et serrer le nœud.

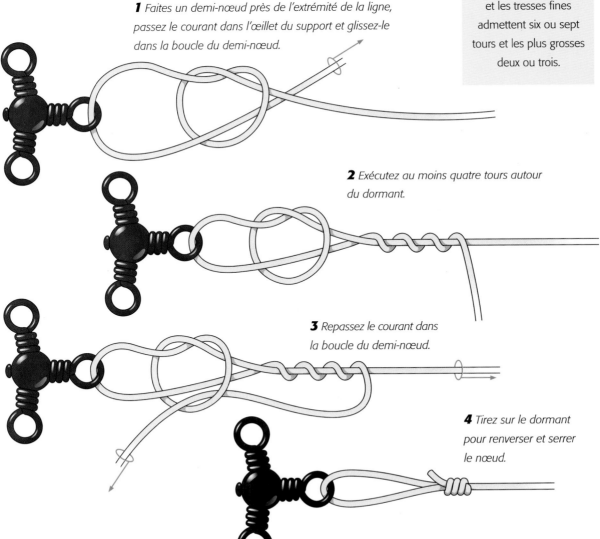

Nœud de cuiller

Ce nœud sert à fixer une ligne sur un hameçon, un leurre ou un émerillon.

1 Glissez le courant dans l'œillet de l'hameçon, faites-le passer sur le dormant de façon à obtenir une boucle et exécutez ensuite quatre ou cinq tours autour du dormant.

2 Passez le courant dans la boucle reliée à l'œillet puis dans la grande boucle que vous venez de former.

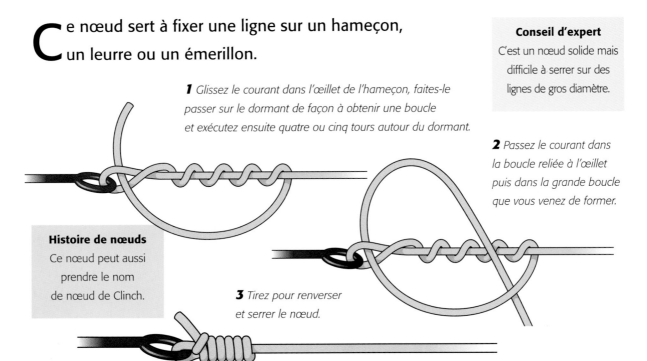

3 Tirez pour renverser et serrer le nœud.

Hook, swivel et braid knot

C e nœud solide permet de fixer une ligne monofilament
à un hameçon, une mouche ou un autre leurre.

1 *Faites une longue ganse
à l'extrémité de la ligne,
passez-la dans l'œillet de
l'hameçon et positionnez-la
parallèlement au dormant.*

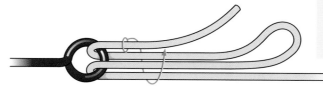

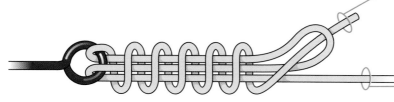

2 *Exécutez plusieurs tours avec le courant sur la ganse
et le dormant et passez-le dans l'extrémité de la ganse.*

3 *Serrez le nœud.*

Nœud d'émerillon

Ce nœud permet d'attacher le nœud de chirurgien en boucle ou tout autre nœud du même type aux hameçons et aux émerillons afin de pallier les circonstances souvent difficiles dans lesquelles a lieu la pêche au gros.

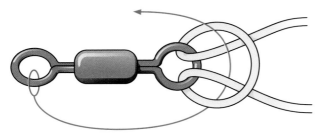

1 Faites une longue ganse, passez-la dans l'œillet de l'émerillon et tirez de sorte que l'extrémité de la ganse repose sur ses deux brins.

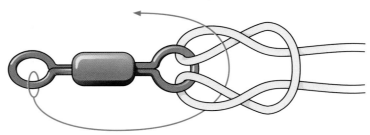

2 Faites passer l'œillet opposé de l'émerillon entre les deux boucles obtenues précédemment.

3 Répétez l'opération huit fois ou plus.

Histoire de nœuds

Les pêcheurs ont leur propre nomenclature de nœuds mais, réalisé sur du cordage, celui-ci porte l'appellation de nœud de gueule de raie.

4 Tirez fermement sur les deux brins pour serrer le nœud contre l'œillet de l'émerillon.

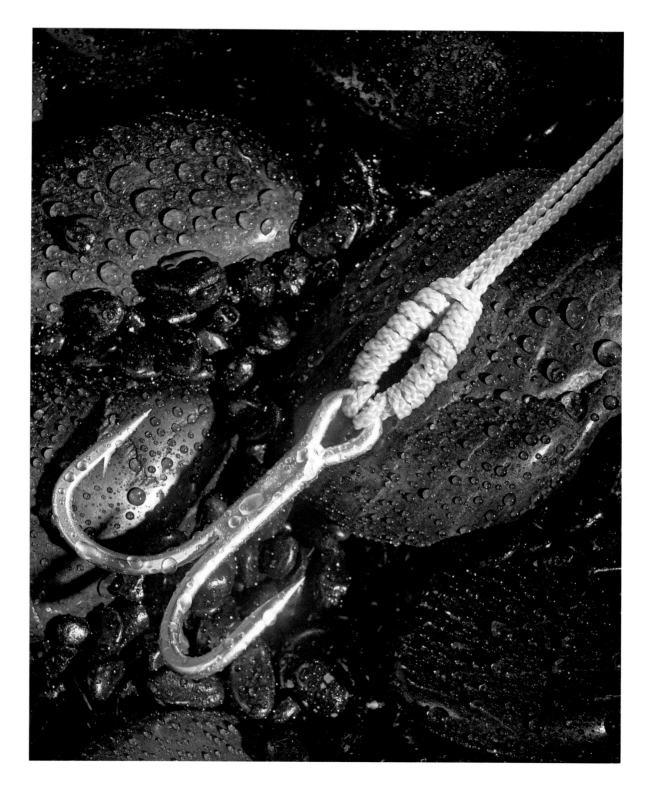

Nœud de Palomar

Voici un autre nœud d'émerillon. Il est assez facile à réaliser mais l'émerillon doit avoir un anneau suffisamment grand pour recevoir une double ligne.

1 Faites une longue ganse à l'extrémité de la ligne, passez-la dans l'anneau de l'émerillon puis exécutez un nœud simple.

2 Passez l'extrémité de la ganse derrière l'émerillon.

3 Faites revenir l'extrémité de la ganse sur le dormant.

4 Arrangez et serrez le nœud.

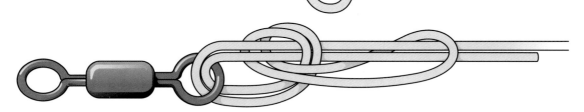

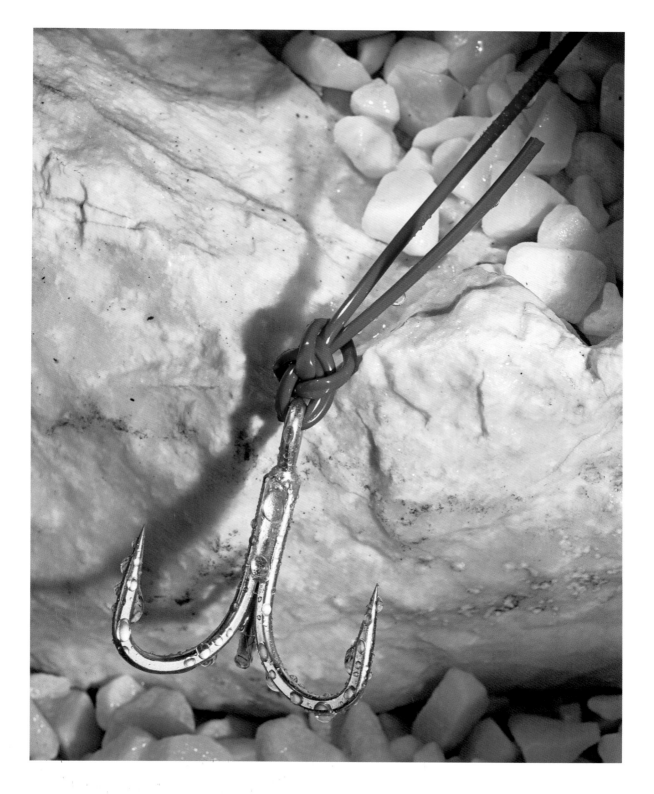

Nœud trilene

Ce nœud se différencie des nœuds déjà présentés par le fait qu'une double épaisseur est passée dans l'œillet de l'hameçon ou de l'émerillon tandis que l'extrémité de son courant est glissée dans le tour mort.

Méthode 1 (simple)

1 Faites un tour mort sur l'œillet avec le courant, exécutez ensuite plusieurs tours sur le dormant puis détournez le courant pour le passer dans la boucle du tour mort.

2 Serrez le nœud.

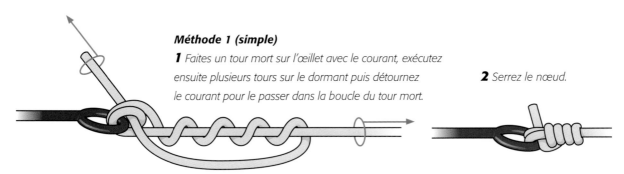

Histoire de nœuds

Ce nœud est également dénommé nœud de Berkley.

Conseil d'expert

Sur les lignes de gros diamètre, faites un moins grand nombre de tours pour serrer le nœud sans problèmes. Sur les lignes fines, faites-en plus pour un nœud solide et fiable.

Méthode 2 (améliorée)

1 Pour plus de sécurité, faites le nœud simple puis passez le courant dans la boucle que vous venez de former.

2 Tirez pour renverser et serrer le nœud.

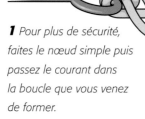

Nœud baril

Conseil d'expert

On a coutume de vérifier que les courants opposés sortent du nœud à l'opposé l'un de l'autre, mais s'ils sortent du même côté, on peut les nouer ensemble pour créer la boucle coincée en nœud de capucin (*voir* page 102).

Voici une méthode séculaire pour assembler deux lignes de pêche de diamètre et de type identiques.

Méthode 1 (directe)

1 *Placez les courants des deux lignes côte à côte dans des directions opposées.*

2 *Exécutez quelques tours avec l'un des courants sur le dormant opposé, puis glissez et coincez le courant entre les deux lignes.*

3 *Répétez l'opération avec le courant opposé et serrez le nœud.*

Méthode 2 (indirecte)

1 *Placez les courants des deux lignes côte à côte dans des directions opposées, puis torsadez les deux lignes et faites passer un des deux courants entre les deux dormants.*

2 *Répétez l'opération avec le courant opposé.*

3 *Tirez pour renverser et serrer le nœud.*

Nœud de chirurgien
en ajut

Ce nœud permet d'assembler solidement des lignes de pêche de type et de dimension identiques. En outre, il passera aisément dans les guides de la canne.

2 *Faites un nœud simple avec le courant doublé et passez-le deux fois dans la boucle.*

1 *Placez les courants des deux lignes côte à côte dans des directions opposées.*

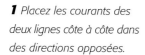

3 *Tirez de chaque côté du nœud jusqu'à ce qu'il se retourne et s'enroule sur lui-même.*

4 *Arrangez et serrez le nœud ainsi obtenu de sorte qu'il forme un dessin régulier.*

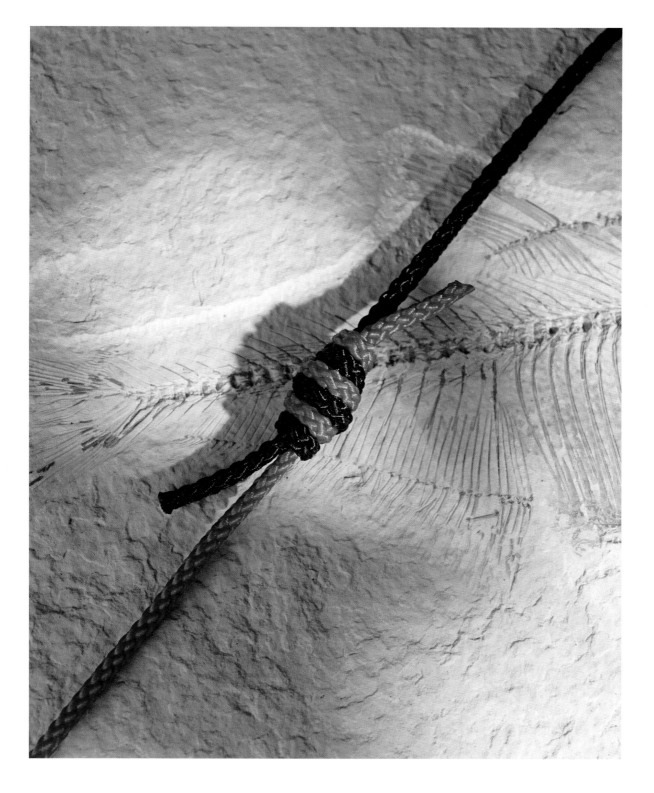

Catégories de nœuds

* Peut être réalisé avec des sangles, du ruban ou des bandages
° Nœuds de pêche

Nœuds d'ajut (servant à joindre deux cordages)

Nœud baril°	Nœud de Carrick*	Nœud flamand renforcé
Nœud plat	Nœud vice-versa	Nœud de chirurgien°
Nœud de sangle*	Nœud de Zeppelin	

Nœuds d'attache (servant à attacher un cordage à un anneau, un piquet, etc.)

Nœud d'ancre	Nœud de bôme*	Nœud de Domhof°
Nœud d'écoute amélioré	Nœud d'émerillon°	Nœud de glaçon
Hook, swivel et braid knot°	Non-slip mono knot°	Surliure d'assemblage sur hameçon°
Nœud de surliure de bas de ligne°	Nœud d'ossel double	Nœud de cuiller°
Nœud d'ossel*	Nœud d'amarrage à deux tours	Nœud de Palomar°
Nœud d'amarrage*	et deux demi-clefs	Nœud trilene°

Boucles non coulissantes ou fixes (simples, doubles, triples)

Nœud de milieu d'alpinisme	Boucle coincée en nœud	Nœuds de chaise
Nœud en huit double en boucle	de capucin°	Nœud de Frost*
Nœud de plein poing*	Nœud de boucle parfaite°	
Nœud de chirurgien en boucle°	Nœud de boucle en huit*	

Boucles coulissantes ou réglables

Nœud coulant	Nœud de Tarbuck

Surliures (pour stopper l'extrémité d'un cordage avec un morceau de ficelle ou de corde)

Surliure simple	Nœud constricteur	Nœud de boa

Nœuds à raccourcir

Nœud de tresse sur un brin	Nœud de Frost double*	Nœud de jambe de chien

Nœuds d'arrêt

Nœud d'arrêt d'Ashley	Nœud en huit d'arrêt

Nœuds de spécialité

Bloquer un lovage en capucin ou sur demi-clefs	Nœud d'Asher	Nœud carré décoratif chinois*
Nœud de mule de Munter	Nœud de cordon de couteau	Nœud de Munter à friction
	Bonnet turc	

Glossaire

Assurer (escalade) Garantir la sécurité, empêcher la chute d'un alpiniste (ou d'un objet) à l'aide d'une corde.

Arranger Manipuler un nœud afin de lui donner sa forme définitive avant de le serrer.

Aussière Cordage formé de trois torons commise en Z (à main droite).

Boucle Figure obtenue par un cordage croisé sur lui-même.

Câble Toute grosse corde, plus particulièrement celles commises en S (toronnées à main gauche) à neuf torons constituées de trois cordes commises en Z (toronnées à main droite) de trois torons chacune.

Cordage Terme générique désignant tous types de ficelles, cordes et cordelettes.

Cordage à fibres discontinues Cordage synthétique fait avec des monofilaments ou des multifilaments coupés en petits morceaux.

Cordage lâche Cordage fabriqué avec une tension inférieure à la moyenne.

Cordage serré Cordage rendu rigide et peu souple à la suite d'une forte tension impulsée lors de sa fabrication.

Corde Cordage dont le diamètre est supérieur à 10 mm.

Corde commise en S Corde toronnée à gauche (dont les torons ont été tournés dans le sens contraire à celui des aiguilles d'une montre).

Corde commise en Z Corde toronnée à droite (dont les torons ont été tournés dans le sens des aiguilles d'une montre).

Courant Partie du cordage que l'on utilise pour exécuter un nœud.

Dormant Partie du cordage dont on ne se sert pas pour exécuter un nœud.

Fibre Matière première d'un cordage naturel (d'origine animale ou végétale) ou synthétique.

Fibre haute technologie Matière première des cordages synthétiques à haute performance : Kevlar®, Spectra® (ou Dyneema®) et Vectran®.

Fibre naturelle Matière première d'un cordage d'origine végétale ou animale.

Ficelle Cordage mince dont le diamètre est inférieur à 10 mm, plus petit qu'une corde ou qu'une cordelette.

Fil de caret Élément d'un cordage qui, tourné sur lui-même, donne un toron.

Film fibrillé Cordage synthétique fabriqué en déchiquetant une feuille de polypropylène puis en peignant et en tordant les fibrilles obtenues en fils et en torons.

Ganse Section de corde repliée sur elle-même, formant un U.

Les quatre P Les types de matières premières synthétiques les plus usitées pour la fabrication de cordages, à savoir le polyamide (nylon), le polyester (térylène, dacron), le polyéthylène (polythène) et le polypropylène.

Ligature Nœud réalisé sur les extrémités d'un même cordage afin de bloquer ce qui est tenu par ce cordage.

Monofilament Fibre artificielle extrudée, le plus petit élément d'un cordage synthétique, circulaire et uniforme en coupe transversale, dont le diamètre est supérieur à 50 microns.

Mousqueton Pièce d'accastillage permettant de relier rapidement les drisses et les écoutes aux voiles.

Mousqueton alpin Pièce en aluminium ou en acier, ovale, en D ou en poire, permettant de relier une corde ou un harnais à un point d'assurage et munie d'un ergot articulé.

Multifilaments Faisceau de fibres artificielles extrudées, circulaire et uniforme en coupe transversale, dont le diamètre est inférieur à 50 microns.

Nœud Terme désignant tout entrelacement de cordage – accidentel ou délibéré.

Nœud d'ajut Nœud qui réunit deux cordages de sorte qu'ils puissent être ensuite détachés.

Point d'assurage (escalade) Point fixe à partir auquel on peut s'assurer.

Rappel (escalade) Procédé de descente de passages abrupts voire verticaux au moyen d'une corde qui peut être rappelée.

Renverser un nœud (flyping)
Donner à un nœud de pêche sa forme définitive en le renversant sur lui-même avant de le serrer.

Surliure Ligature servant à stopper définitivement l'extrémité d'un cordage ou à gainer un cordage.

Synthétique Cordage fabriqué à partir de fibres artificielles.

Thermosoudage Procédé de coupe et d'assemblage de cordage synthétique par application de chaleur.

Toron Ensemble de fils de caret tournés sur eux-mêmes pour former l'élément de base d'un cordage tourné sur lui-même.

Tresse Cordage constitué d'une multitude de brins tressés entre eux (gaine ou partie extérieure) autour d'une âme, ou partie centrale, faite de fils ou de filaments.

Tresse creuse Cordage tressé sans âme.

The International Guild of Knot Tyers (IGKT)

Une vie entière ne suffirait pas pour découvrir et appréhender tout ce qui constitue la science et l'art du nouage. Les membres de l'IGKT s'y emploient pourtant en préservant la mémoire des nœuds connus ainsi qu'en tentant d'en découvrir de nouveaux.

L'IGKT, créée en 1982, est reconnue comme association caritative de premier ordre en Angleterre et compte plus de 1 000 adhérents originaires du monde entier, dont une trentaine de membres en France. Quiconque s'intéresse à l'art du nouage est susceptible de rejoindre l'IGKT.

Deux grands rendez-vous sont organisés chaque année en Angleterre mais des groupes plus restreints se réunissent régulièrement partout dans le monde pour échanger des lectures, des découvertes et des savoir-faire.

La branche française de l'IGKT diffuse son propre bulletin d'information, *Le Sac de nœuds,* et organise chaque année les Journées européennes des amateurs de nœuds.

Pour plus de renseignements, contactez Luc Prouveur, secrétaire de l'IGKT France, au 139 avenue des Peupliers, 76400 Fécamp. Courriel : igktfrance@club-internet.fr L'adresse internet du site de l'IGKT est la suivante : http://www.igkt.net

Il existe de nombreux autres sites concernant l'art et la science du nouage. Il suffit d'entrer les mots nœuds ou knots dans un moteur de recherche pour découvrir une multitude de sites.

Conseils de lecture

GOUX-BODÉ Anne, *Les Nœuds*, Ouest France, 2005
MOREAU Michel, *Cordes et Nœuds*, Presses d'Île de France, 2004
JARMAN Colin, *Le Grand Guide des nœuds*, Hachette, 2003
SALMERI Alexandre, *Le Grand Livre des nœuds*, De Vecchi, 2003
PERRY Gordon, *Manuel des nœuds*, Solar, 2003
LE BRUN Dominique, *Tous les nœuds de marin*, Tana Éditions, 2001
LE BRUN Dominique, *Nouveau Manuel du marin*, Solar, 2002
Manuel de matelotage et de voilerie à l'usage des marins professionnels et des plaisanciers, Chasse-Marée, Armen,1997
OWEN Peter, *Le Grand Livre des nœuds*, Solar, 1994
ASHLEY Clifford, *Le Grand Livre des nœuds*, Gallimard, 1979

Remerciements

Le cordage utilisé pour illustrer les nœuds présentés dans ce livre a été gracieusement fourni par :
English Braids, Spring lane, Malvern, Worcestershire, WR14 1AL, Angleterre. Cette entreprise est l'un des plus importants fabricants de cordages d'Europe et un grossiste qui propose une extraordinaire variété de produits tout en étant spécialisé dans le cordage de qualité pour la marine de plaisance.
Footrope Knots (Des et Liz Pawson) 501 Wherstead Road, Ipswich, Suffolk, IP2 8LL, Angleterre. Ces fabricants renommés de cordes et ficelles se consacrent à la production en série de cordage ainsi qu'à la fabrication de pièces de commande spécifiques. Ils commercialisent également les livres de nœuds, les outils et tous types de cordages.
Jimmy Green Marine, The Meadows, Beer, East Devon Heritage Coast, EX12 3ES, Angleterre. Célèbre marchand de fournitures pour bateaux (cordages, accastillage, gréement et matériel de sécurité).

Index